Luciana Ziglio

Espresso

Esercizi supplementari 3

ALMA
Edizioni
Firenze

Layout: Martin Lange
Impaginazione: Astrid Hansen, Andrea Caponecchia
Illustrazioni: ofczarek
Copertina: Sergio Segoloni
ISBN 88-89237-02-3

Printed in Italy
la Cittadina, azienda grafica - Gianico (BS)
www.lacittadina.it

Alma Edizioni
viale dei Cadorna, 44
50129 Firenze
tel ++39 055476644
fax ++39 055473531
info@almaedizioni.it

Indice

Introduzione

Questo libro degli esercizi, composto di 10 lezioni, è pensato per gli utenti di *Espresso 3*. La scansione delle attività, infatti, segue di pari passo l'andamento delle corrispondenti unità del manuale.

Funzione di queste pagine è quella di consolidare strutture e lessico appresi nel corso della corrispondente lezione di *Espresso 3* e di permettere al discente di monitorare i progressi fatti.

La tipologia degli esercizi è composita: presenta, infatti, attività di completamento, di abbinamento, di riflessione grammaticale, di trasformazione, di applicazione delle funzioni comunicative, attività con domanda-risposta, parole incrociate, compilazione di tabelle, ecc.

Questi esercizi sono pensati per un lavoro individuale e le soluzioni riportate in appendice offrono all'allievo l'opportunità di verificare l'esattezza delle sue risposte.

Si consiglia allo studente di limitarsi a svolgere gli esercizi relativi ad una certa attività del manuale (lettura, ascolto od altro) - cfr. simbolo - e di non proseguire a casaccio.
Solo così, infatti, l'esercizio proposto può effettivamente raggiungere il suo scopo. In caso di un numero eccessivo di errori si invita il discente a ripetere quel dato argomento grammaticale e/o lessicale.

Buon lavoro e buon divertimento!

Autrice e casa editrice

Do you speak Italian?

1 Inserisci uno dei seguenti verbi e abbina le frasi.

2

1. Prima di ______________	in Italia	esprimere
2. Prima di ______________	l'ombrello	fare il confronto
3. Prima di ______________	a casa	prendere
4. Prima di ______________	il tuo parere	tornare
5. Prima di ______________	con me	trasferirsi
6. Prima di ______________	di casa	uscire

dovresti studiare un po' di più. (a)
chiama Sara per cortesia. (b)
ascolta cosa ho da dirti. (c)
guarda se piove! (d)
ha voluto finire il lavoro. (e)
aveva già fatto un corso. (f)

1

2 Sostituisci la preposizione *da* ... con l'espressione *essere* ... *che*, come nell'esempio.

1. Faccio corsi di svedese *da tre anni*.

   Sono tre anni che faccio corsi di svedese.

2. Non lo vedo da molto tempo.

   ______________________________.

3. Traduciamo dal francese da almeno 5 anni.

   ______________________________.

4. Da un'ora chiacchiera senza fermarsi.

   ______________________________.

5. Da anni esprimi il tuo parere senza ascoltare il mio.

   ______________________________.

6. Stanno facendo esercizi di italiano da due ore.

   ______________________________.

3 Completa con *metterci, mettere* o *mettersi* nel modo/tempo giusto.

1. Abbiamo fatto brevi preparativi e ______________ da parte le cose che ci sembravano utili.
2. Farò ordine nella posta elettronica; penso che ______________ le mail in ordine cronologico.
3. Se vieni a piedi, pensi di ______________ più di un'ora?
4. Ieri, a finire il lavoro, Sara ______________ un sacco di tempo.
5. Sono due mesi che discutono, non riescono proprio a ______________ d'accordo.
6. Penso che Carlo ______________ in proprio.

4 Completa le frasi con il trapassato prossimo.

seguire | iniziare | parlare | arrangiarsi | cominciare | essere

1. Non sono principiante. ________ già __________ un corso in autunno.
2. Quando sono arrivata a teatro il concerto ________ già __________.
3. Volevo aiutarla a tradurre, ma ________ già __________ da sola.
4. Perché vuoi discuterne ancora? (Noi) non ne ________ già __________ ieri?
5. Siamo arrivati in classe, ma la lezione ________ già __________.
6. Prima di quest'estate Clara e Ada ________ già __________ in Giappone.

1

5 Presente, imperfetto, passato prossimo o trapassato prossimo?

● Allora, com'è andata a Mantova?

◆ Beh, guarda, anche se era la quarta volta che io e Piero ci (andare) ____________, l'(trovare) ________________ bellissima. Ma stavolta non (noi – fermarsi) ________________ a Palazzo Ducale, ormai lo (conoscere) ______________ bene perché l' (visitare) __________ già __________ lo scorso anno.

● Va bene, ma secondo me la Reggia dei Gonzaga (restare) ____________ sempre una delle più interessanti d'Europa, con quelle splendide opere del Mantegna ...

◆ Sì, ma (esserci) ____________ una folla pazzesca di turisti dopo il ponte di San Giorgio, quindi (decidere) ____________ di proseguire in macchina e cercare un parcheggio in un posto di periferia.

● E allora cosa (voi – fare) ________________, se (evitare) ________________ di entrare in città?

◆ (Entrare) ________________ nel Palazzo del Te, che le altre volte non (potere) ________________ visitare perché (essere) ____________ sempre chiuso.
(Esserci) ____________ una mostra di oggetti antichi così ricca che (trascorrere) ________________ lì tutta la giornata!

1

6 Completa con il presente, imperfetto, futuro semplice, passato prossimo e trapassato prossimo.

Napoli, 1 aprile. In via Verdi una o più persone hanno svaligiato [1] la gioielleria "Ori di Napoli" di F.C., famoso commerciante della città. Una coppia, che ieri notte (stare) _______ tornando a casa da una festa con amici, (accorgersi) __________________ del fatto e (chiamare) __________________ il 113. Probabilmente il ladro [2] (entrare) ____________________ nel negozio già nella notte di sabato – almeno questo (essere) ________ quanto (supporre) _____________ la polizia arrivata lì subito dopo la telefonata. I poliziotti (interrogare [3]) ______________________ i due testimoni [4], ma questi (potere) ________________ ripetere solo quello che (dire) ___________ già _______.
«(Essere) ___________ le 2 di mattina di domenica e (stare) ________________ passando per via Verdi. La vetrina del negozio era già rotta e probabilmente gli svaligiatori (uscire) _________ già _________, perché non (sentire) ______________________ nessun rumore.»
F.C., che in questi giorni non (trovarsi) ____________ a Napoli ed (essere) ______ in giro per un viaggio di lavoro, al suo ritorno (avere) _____________ proprio una bella sorpresa!

(1) svaligiare = portare via tutto da un negozio, una banca ecc.;
(2) il ladro = la persona che svaligia;
(3) interrogare = fare molte domande;
(4) il testimone = la persona che assiste a un fatto (generalmente importante)

1

7 Sostituisci con *qualsiasi* un elemento di ogni frase. Attenzione poi a concordare bene il resto della frase (sostantivi e/o verbi).

6

1. Usate ogni opportunità per comunicare nella lingua che studiate.

   Usate **qualsiasi opportunità** per comunicare nella lingua che studiate.

2. Siate aperti nei confronti di tutti i nuovi modi di imparare.

   ____

3. Non abbiate paura degli errori. Tutti i principianti li fanno.

   ____

4. Ogni lingua straniera è utile.

   ____

5. Osservate con soddisfazione tutti i vostri progressi.

   ____

6. Cercate di trovare tutte le opportunità per comunicare per iscritto.

   ____

8 Sottolinea le frasi in cui *dovere* ha il significato di *forse, credo che*.

8

1. Deve aver perso il treno.
2. Vuoi veramente imparare a parlare? Dovresti comunicare di più.
3. Mi dovrei laureare in ottobre.
4. Dovrebbero tornare entro le 6.
5. Dovrebbe vergognarsi di quello che ha detto.
6. Al corso dovrebbero iscriversi in 25.
7. Dovrebbe essere appena arrivato.
8. Dovete stare più attenti.

9 Forma delle frasi.

9

1. Quelle scarpe mi sembrano un po' grandi. Non
2. I libri d'arte? Un attimo, signora,
3. È vero che compri una macchina nuova? Allora,
4. Cosa?? I miei CD? No, non
5. Devi rispettare le regole. Io
6. Sai che ho rivisto Roberto? Forse
7. Sapevate che abbiamo comprato una macchina nuova? Forse

me la
te l'
te li
te le
te ne
glieli
ve l'

ho sempre detto! (a)
venderesti quella vecchia? (b)
voglio prestare. (c)
avevo già parlato? (d)
vuoi provare? (e)
avevamo già detto? (f)
faccio vedere subito! (g)

1

10 Completa le frasi con i pronomi combinati.

1. ● Hai già scritto la lettera a Sergio?
   ◆ No, ___________ spedirò domani.
2. ● Posso vedere il vestito che hai appena comprato?
   ◆ ___________ mostrerò appena ho finito qua.
3. ● Lo dirai tu ai tuoi che andremo insieme in vacanza?
   ◆ Chiaro che ___________ dirò io!
4. ● E allora, il viaggio com'è andato?
   ◆ ___________ parlerò con calma appena ci incontriamo.
5. ● Luigi ti ha già accennato alla sua situazione?
   ◆ Sì, ___________ ha parlato ieri.
6. ● D'accordo, non dobbiamo arrivare sempre in ritardo.
   ◆ Certo! ___________ ho già ripetuto mille volte!

11 Completa con i pronomi (combinati o non).

Caro Oscar, non hai ancora risposto alla mia mail. Non hai acceso il computer? Volevo solo dir____ che domani non _____ posso riportare il vocabolario di francese perché _____ ho dato a un'amica. So che non si prestano le cose degli altri (_____ hai ripetuto mille volte) e _____ vergogno un po', ma lei _____ ha chiesto (____ serviva per una traduzione importante) e io non ho saputo dir____di no. ____ ha promesso però di riportar____ fra due giorni. Spero che tu non ti arrabbi. Un'altra cosa. Ricorda___ che domani arriveranno Ida e Franca e ____ sa che uno di noi due dovrà ospitar___ . Non è che ____ andrebbe di tener____ a casa tua? Io in questi giorni sono superimpegnata! Grazie, ciao, Susi.

1

12 Completa il dialogo con le seguenti espressioni.

10

perché, scusa — non sembra — d'accordo — lasciamo perdere — trovo

● Senti, non puoi spegnere quel televisore?

◆ Beh, io __________________ che il telegiornale sia importante e poi mi interessa.

● __________________, però io non riesco a concentrarmi!

◆ Non puoi andare a leggere da un'altra parte?

● __________________? Veramente ero qua prima io.

◆ A me __________________ proprio!

● Va beh, dai, non ho voglia di discutere. __________________! Vado di là.

13 Solo alcuni di questi aggettivi sono dei contrari. Sottolineali.
Es.: <u>impossibile</u> (≠ possibile)

12

impegnato	importante	imprevisto
indipendente	innamorato	intenso
indeciso	incompleto	intelligente
irritabile	irregolare	irrisoluto

14 Sostituisci al termine straniero quello corrispondente italiano e adegua – dove necessario – gli altri elementi della frase. Se gli abbinamenti saranno esatti, le lettere nei riquadri blu daranno, lette consecutivamente, una nuova parola.

13

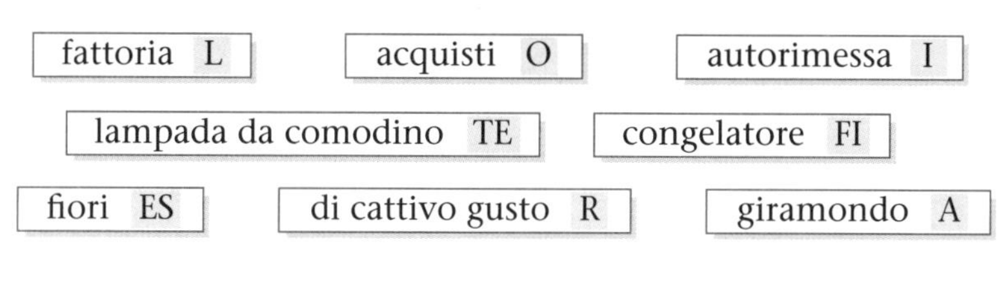

1. Al suo matrimonio aveva uno splendido bouquet.
   ____
2. Mi puoi riparare l'abat-jour? ______________________
3. Quel quadro è proprio kitsch. ______________________
4. Sei di nuovo andata a fare shopping? ______________________
5. Ma hai tolto la carne dal freezer? ______________________
6. È da due anni che vive in una hacienda argentina.
   ____
7. Tengo la macchina sempre nel garage. ______________________
8. Daniele ha già visto decine di Paesi. È un vero globetrotter.
   ____

Soluzione: _ _ _ _ _ _ _ _ _ _ _.

Significa amore per tutto ciò che è straniero.

1

Vivere in città

1 Di che città parliamo?

Completa lo schema e le caselle in neretto ti daranno la risposta.

2

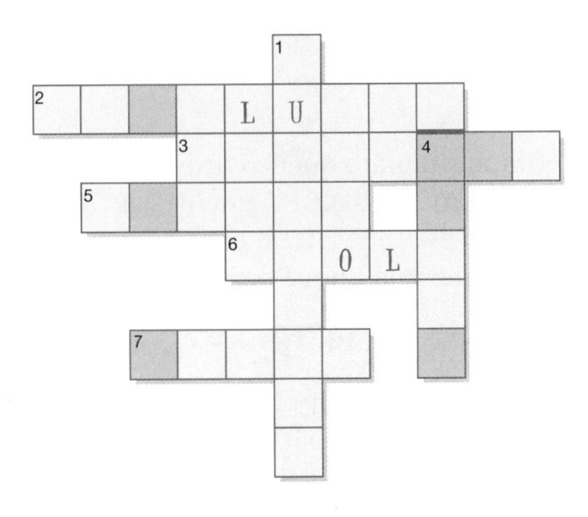

2

La amo non solo perché la mia più cara amica è siciliana, ma anche perché si tratta di una splendida città. Si trova su un'**6** → ________ e ha un passato **4** ↓ __________-normanno che si può notare nelle magnifiche chiese e in alcuni palazzi. È una città **3** → ___________ (si trova sul mare). È ben vero che forse è un po' troppo **1** ↓ ____________ (a me non piace quando c'è troppa gente), ma non c'è mai la **5** → ___________ (come da me in Val Padana), la temperatura è quasi sempre sopra la **7** → __________ (e comunque molto più alta che nel resto d'Italia) ed in primavera è ricca di profumi e colori. Insomma, il **2** → ___________________ della Sicilia è davvero magnifico!

Soluzione: _ _ _ _ _ _ _

2 Completa le frasi con il condizionale passato, come nell'esempio.

5

Anziché costruire una banca, (loro – potere) fare un bel parco.

Anziché costruire una banca, **avrebbero potuto** fare un bel parco.

1. Anziché seguire una dieta, (io – dovere) fare un po' di ginnastica.

____

______________________________.

2. Anziché investire tanti soldi in banca, (potere) comprarci una villa.

____

______________________________.

3. Anziché trascorrere la domenica a casa, (tu – potere) uscire con me.

____

______________________________.

4. Anziché passare subito all'offensiva, (loro – dovere) difendersi.

____

______________________________.

5. Anziché fare la figura da stupidi, (voi – dovere) reagire.

____

______________________________.

6. Anziché lavorare tutto il giorno, (preferire) starsene tranquilla a casa.

____

______________________________.

3 La mia amica Silvia stava per sposare un miliardario che però l'ha lasciata per un'altra. E così i suoi sogni non si sono realizzati. Ora di cosa si lamenta?

andare	avere	comprare	dovere
guadagnare	investire	mettere	pensare
regalare	usare	vedere	

Sai, innanzitutto a casa non ______________ fare niente perché logicamente ______________ una donna per le faccende domestiche e di sicuro anche una cuoca e un giardiniere. Io e John ______________ in giro per il mondo e con il suo yacht ______________ tutte le isole dei Caraibi. Poi, pensando al mio futuro, io ______________ una certa cifra in case ed un'altra in banca. Ma non ______________ solo a me stessa. Lui mi ______________ a disposizione molti soldi che ______________ per fare un sacco di regali a tutti. Certo, mi ______________ una Porsche e dei bei vestiti, ma a Linda ______________ un monolocale sul Garda, a Daniela i mobili per la casa e a Giovanna un biglietto aereo per la Sicilia. Insomma, non ci ______________ solo io, ma anche le mie amiche!

4 Abbina le frasi.

6

tale che

1. La botta fu
2. La sua velocità era
3. La nebbia era
4. L'ingorgo era
5. La loro superficialità è
6. La sua pazienza è
7. La sua bellezza era
8. La sua saggezza è

a. lo paragonano a Giobbe.
b. non si poteva vedere niente.
c. tutti si giravano a guardarla.
d. non riuscì a frenare in tempo.
e. non fu possibile proseguire.
f. tutti gli chiedono consigli.
g. lo rispedì dall'altra parte della strada.
h. nessuno riesce più a sopportarli.

2

5 Una città italiana.
Sottolinea le forme del passato remoto e scrivi l'infinito del verbo corrispondente.

7

Ai giorni nostri **X**, capoluogo di provincia nell'estremo Ovest della Sicilia, è una città moderna quasi interamente ricostruita dopo la II Guerra Mondiale, ma il centro storico, con i suoi palazzi e monumenti, ci ricorda il suo ricco passato. Il più importante edificio cittadino è il santuario dell'Annunziata, costruito nel XIV secolo e ristrutturato nel XVIII: nelle varie cappelle si possono vedere diversi oggetti preziosi e numerose opere d'arte, fra le quali va ricordata una Madonna molto bella attribuita a Nino Pisano. Nell'ex convento del santuario ha sede un museo nazionale che offre ai visitatori vari reperti(1) archeologici e alcuni quadri di artisti famosi. Nell'antichità **X**, conosciuta con il nome di Drepana, fu un grande porto militare cartaginese. Nel 249 a. C. (2), dopo una battaglia navale contro i Romani, Cartagine arrivò ad avere il dominio(3) sul Mediterraneo. Nel 241 i comandanti Caio Lutazio Catulo e Quinto Valerio Faltone vicino alle isole Egadi conquistarono più di 100 navi, fecero più di 10.000 prigionieri(4) e così guidarono alla vittoria la flotta(5) romana. Dopo questa grandiosa battaglia, che mise fine alla guerra, **X** dipese amministrativamente da Roma.

(1) i reperti = gli oggetti che si trovano dopo una ricerca scientifica;
(2) a.C. = avanti (prima di) Cristo; (3) il dominio = il potere assoluto;
(4) fare prigionieri = togliere la libertà a qualcuno; (5) la flotta = l'insieme delle navi

____

____

Guarda ora la cartina nel manuale e segna di quale città parliamo.

☐ Messina ☐ Agrigento ☐ Trapani

2

6 Ecco una lettera di Cinzia, la mia amica toscana.

Carissima Livia,
sono felice di sapere che la tua famiglia sta bene. Anche a casa mia è tutto OK, ma adesso che ho due bimbi e non mi posso muovere, ricordo con particolare nostalgia i tempi in cui io passavo le vacanze da te. Ricordi quell'inverno che si andò a fare il giro di tutti i passi dolomitici? C'era Raffaella con noi e si passò una settimana in macchina tra le montagne dell'Alto Adige. Fu davvero una vacanza ricca di natura e paesaggi! Tu avevi la gamba rotta e guidavo sempre io. Che stanchezza ogni sera! E poi l'ultimo giorno nevicò così tanto che si dovettero evitare alcune zone dove c'era troppa neve. Si fecero quasi tremila chilometri in quel periodo, ma non si ebbe mai sfortuna e la sera si tornava sempre a dormire a casa tua, sane e salve. Quella settimana si mangiarono quasi solo panini, ma si bevettero diverse grappe per scaldarci ... Ti ricordi che freddo faceva? Quelli sì che erano bei tempi! Torneranno??

Un bacione, tua Cinzia.

2

Come l'avrebbe scritta Daniela, la mia amica di Milano?
Osserva l'esempio e completa la lettera.

(...) Ricordi quell'inverno che **siamo andate** a
fare il giro di tutti i passi dolomitici?

7 Di chi sono gli oggetti?
Completa le frasi con il possessivo.

9

mia | nostri | tua | tuo | tuoi | tuoi | suo | Suo | vostri

1. Franco, è ________ questa macchina?
2. Ragazzi, sono ________ questi libri?
3. Guarda che il dizionario è di Livia. Sono sicuro che è ________.
4. Signora, è ________ quest'ombrello?
5. Sono ________ questi occhiali, Maria?
6. Quella penna è ________. Ridammela subito!
7. Sandra, che belli questi sci! Sono ________ o di ________ figlio?
8. Guarda che quei CD sono ________ e li rivogliamo subito.

2

8 Completa con un pronome possessivo (ed eventualmente una preposizione).

1. Mia madre si è già iscritta al corso. E ___________, Franca, che intenzioni ha?
2. Nella mia zona ci sono solo fabbriche e industrie. Che fortuna ha Paolo! ___________ è così ricca di verde!
3. Io non abito più con i miei genitori. E tu, vivi ancora con ___________?
4. Nel mio vecchio stabile non c'è niente. I miei abitano invece in una zona elegante: ___________ non solo c'è l'ascensore, ma anche il portiere!
5. L'avvocato che ho io non vale niente. _________ vi ha aiutato?
6. Mio marito non si fa mai gli affari propri. E _________, Anna?

9 Sottolinea la forma corretta dell'aggettivo/pronome possessivo.

1. Francesco, mia / la mia macchina si è rotta. Mi presteresti tua / la tua ?
2. Questi sono tuoi / i tuoi occhiali, no?
3. Scusi, per caso è Suo quest'ombrello? Credo che per errore Lei abbia preso mio / il mio .
4. Avete una casa davvero splendida. Nostra / La nostra , invece, è così piccola!
5. Questi sono Suoi / i Suoi bagagli, vero? Per cortesia, li sposti.
6. Mi scusi, è Sua / la Sua questa macchina? Guardi che lì non si può parcheggiare!
7. Ragazzi, sono vostre / le vostre queste scarpe, no? E allora mettetele via!
8. Queste sono le tue valigie. E mie / le mie dove le hai messe?

2

10 A ogni divieto corrispondono due frasi. Se gli abbinamenti saranno esatti le lettere nei riquadri blu, lette consecutivamente, daranno il nome di un nuovo divieto.

10

①

②

③

a. Possibile che sia sempre così difficile parcheggiare da queste parti? T R
b. Non trovo giusto dover lasciar sempre fuori il cane! N S
c. D'accordo, darò fastidio, però a volte devo proprio chiamare per lavoro! T
d. Non sarebbe sufficiente tenerlo al guinzaglio? I
e. Ho dovuto pagare ben € 68,25 per una sosta vietata! A
f. Ma dai! Usarlo qui in ospedale mi sembra proprio fuori luogo! O

Soluzione: In quella zona c'è divieto di _ _ _ _ _ _ _ _ .
Significa che non si può transitare, cioè passare.

11 Io felice se ...

Completa questa poesia con la rima (es. cu*ore* – am*ore*).

12

Sono sempre vissuta in ______________________ .

Questa regione è da trent'anni casa mia,

solo che sono nata a ______________________

e mio marito mi ha portato nel Lodigiano.

Ora ho un solo ______________________

e lo dico convinta e sul serio:

voglio tornare a vivere in ______________________

dove vivono la mia mamma e il mio papà.

La vita di campagna è così ______________________ !

Quella di città è tutta un'altra cosa.

Qui non puoi andare al cinema,

a una mostra, a un ______________________ ,

ma fare solo vita all'aperto.

Non c'è niente oltre la ______________________

e l'aria non è poi così pura

con una nebbia che si taglia col ______________________ .

Ma quando mai il tempo è stato bello?

Ho in mano la macchina tutto il santo ______________________

e giro, giro, giro sempre intorno.

Prima non volevo arrendermi alla vita di ______________________ ,

ora però mi sto stancando sempre più, di mese in mese.

Adesso ho deciso, non ho più ______________________ :

me ne torno in città proprio alla svelta,

perché la cosa peggiore che possa ______________________

è in campagna dover abitare!

2

Non mi serve, ma ...

1 Di cosa parliamo? Trova i vocaboli (che hai appena imparato) corrispondenti alle definizioni. Se saranno esatti, le caselle in neretto daranno il nome di un oggetto molto utile in cucina.

2

1. È un oggetto rotondo e poco profondo che si usa per cucinare. ■ _ _ ■ _ _ _
2. Di solito è elettrico e non ci giocano solo i bambini. _ _ _ ■ _ _ _
3. Lo sono coltelli, forchette e cucchiai. _ _ _ _ ■ _
4. Sono utili a chi non ci vede bene. ■ _ _ _ _ _ ■ _
5. Può essere in una giacca, in un cappotto o simili. In genere ci mettiamo il portafoglio o le chiavi. _ ■ _ _ ■
6. Il calvo può anche non avercelo. ■ _ _ _ _ _ _
7. Ci fa risparmiare tempo se dobbiamo mescolare qualcosa. _ ■ _ _ _ _ _ _ _ ■
8. Contiene fiori. _ _ ■ _
9. È indispensabile per farsi la barba. _ _ ■ _ ■ ■
10. Serve per giocare a calcio. _ _ _ _ _ ■ ■

Soluzione:

La ■ ■ ■ ■ ■ ■ ■ ■ ■ ■ ■ ■ ■ ■ ■ ■ ■

3

2 Una giornata nera per il tipografo! Per errore ha scambiato tutti e 6 gli aggettivi. Riscrivi a fianco quelli corretti.

1. La pista ciclabile è pesante a chi usa la bicicletta. ______________
2. Un tavolo può essere rotondo, quadrato o ingombrante. ______________
3. È più ovale un chilo di carta o un chilo di ferro? ______________
4. Se è grosso, un frigorifero può essere molto utile. ______________
5. Le stampelle sono pericolosi per chi si è rotto una gamba. ______________
6. I martelli possono essere indispensabili se non si sanno usare. ______________

3 Completa ogni frase con un congiuntivo presente e uno passato.

4

1. Penso che Piero (trasferirsi) ______________ di nuovo e che nella sua vita (cambiare) ______________ casa almeno altre quattro volte.
2. Credo che (loro – usare) ______________ abitualmente la macchina per andare al lavoro, ma che stamattina ci (andare) ______________ a piedi.
3. Ritengo che Elisa (essere) _____ sempre _________ una persona in gamba e che lo __________ ancora.
4. Sono convinto che adesso non (loro – avere) ______________ voglia di lavorare ma che non l'______________ neanche in passato.
5. L'importante è che la macchina a mio marito non (costare) ______________ un patrimonio al momento dell'acquisto e che a me non ___________ troppo mantenerla.

3

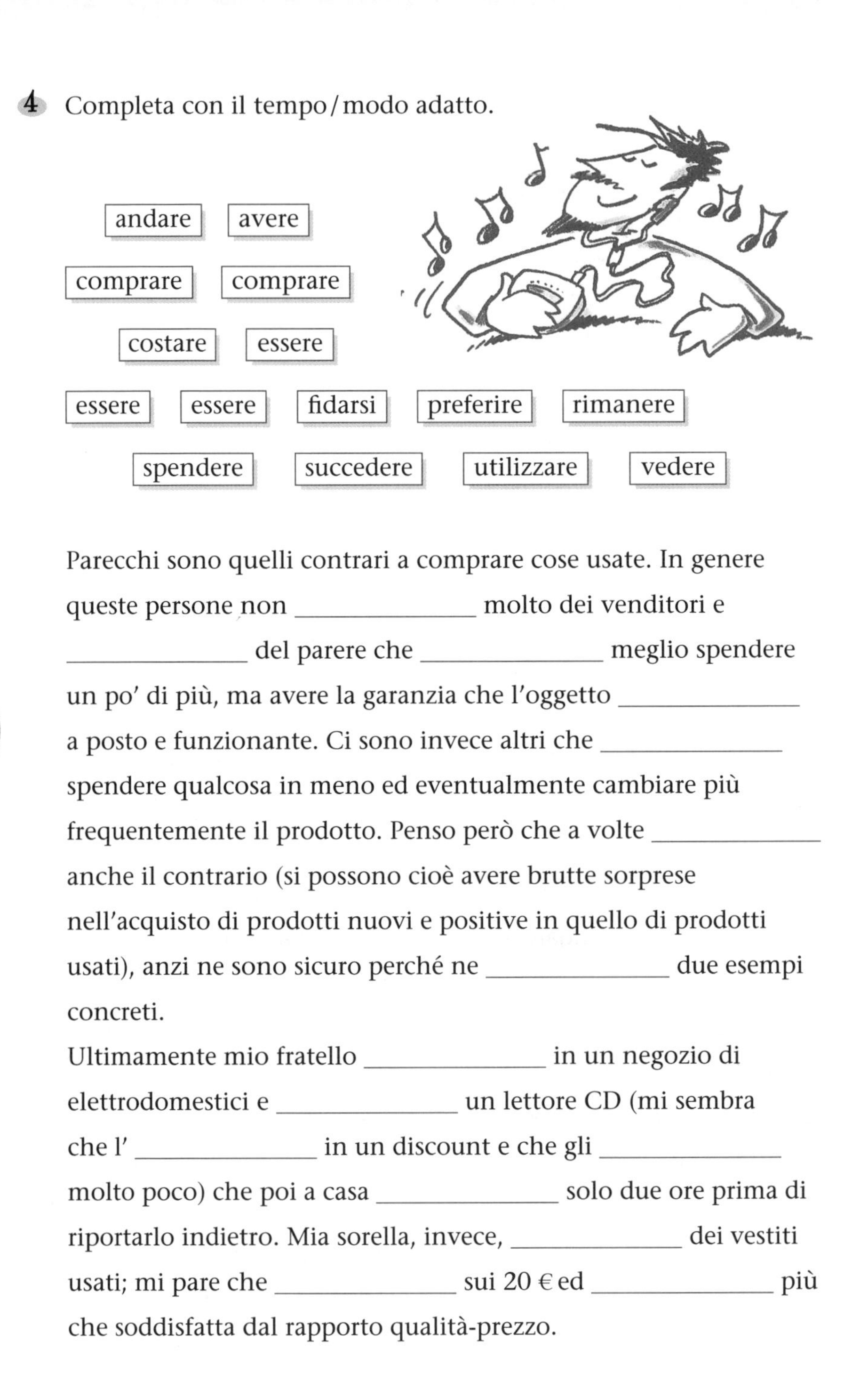

4 Completa con il tempo/modo adatto.

andare | avere | comprare | comprare | costare | essere | essere | essere | fidarsi | preferire | rimanere | spendere | succedere | utilizzare | vedere

Parecchi sono quelli contrari a comprare cose usate. In genere queste persone non _______________ molto dei venditori e _______________ del parere che _______________ meglio spendere un po' di più, ma avere la garanzia che l'oggetto _______________ a posto e funzionante. Ci sono invece altri che _______________ spendere qualcosa in meno ed eventualmente cambiare più frequentemente il prodotto. Penso però che a volte _______________ anche il contrario (si possono cioè avere brutte sorprese nell'acquisto di prodotti nuovi e positive in quello di prodotti usati), anzi ne sono sicuro perché ne _______________ due esempi concreti.

Ultimamente mio fratello _______________ in un negozio di elettrodomestici e _______________ un lettore CD (mi sembra che l' _______________ in un discount e che gli _______________ molto poco) che poi a casa _______________ solo due ore prima di riportarlo indietro. Mia sorella, invece, _______________ dei vestiti usati; mi pare che _______________ sui 20 € ed _______________ più che soddisfatta dal rapporto qualità-prezzo.

5 Completa con la parola adatta.

1. Quanti chilometri ha la tua ______________?
2. Credo che sia davvero una buona ___________: è quasi nuova e costa pochissimo.
3. Credo che a casa abbia l'____________ condizionata.
4. Senti, non fare sempre tutte queste ___________ quando ti chiedo una mano!
5. No, scusa, ma non ho nessuna ___________ di uscire.
6. Di che ___________ hai detto che è? Azzurrina?
7. Non è stato un affare. Mi è costata un _______________!

6 In quali frasi il pronome non ha valore riflessivo, ma uno "affettivo" (= dove il pronome si potrebbe anche eliminare)? Riscrivi le frasi come nell'esempio.

1. Volevo *cambiarmi* la macchina.
   Volevo **cambiare** la macchina.
2. Si è appena lavato le mani.
   ____
3. Vorrebbe guardarsi il film da solo.
   ____
4. Ci siamo mangiati un bel panino con il salame.
   ____
5. Si devono accontentare di quel che hanno.
   ____
6. Vorrei fumarmi una sigaretta in santa pace.
   ____
7. Si sono sposati in maggio.
   ____
8. Con questo caldo mi bevo una bella birra gelata.
   ____

7 Abbina le frasi.

6

1. Come mai l'ha venduta?
2. Non lo vedo più arrivare in macchina.
3. È rimasto a piedi?
4. Sai che ho perso gli occhiali?
5. Non vedo più Anna e Franco insieme.
6. Come ha fatto a comprarsi una macchina?

a. Beh, può darsi che l'abbia venduta.
b. Beh, può darsi che non abbia fatto benzina.
c. Beh, può darsi che si siano lasciati.
d. Beh, può darsi che i suoi gli abbiano anticipato i soldi.
e. Beh, può darsi che abbia avuto troppi chilometri.
f. Beh, può darsi che tu li abbia dimenticati da qualche parte.

8 Completa il testo con gli aggettivi opportunamente declinati.

8

3

cortissimo	blindato	indispensabile	
modernissimo	nostro	rasato	satellitare
tecnologico	vecchio	vocale	

Mia moglie da qualche giorno è molto cambiata. L'altro ieri si è presentata a casa con una minigonna ________________ e con i capelli ________________ (quasi non la riconoscevo). Poi ha cominciato a dirmi che nella ________________ vita era indispensabile un aggiornamento ________________. Con la scusa che ha paura dei ladri ha voluto installare la porta ________________, poi ha sostituito il ________________ videoregistratore con un ________________ lettore DVD, il suo cellulare con uno dotato di comando ________________. Tutta soddisfatta ha poi esibito il nuovo navigatore ________________, ________________ – ha sostenuto – per far visita a una sua cugina di Napoli che in auto faceva sempre fatica a trovare.

9 Un cliente imbranato.
Completa con i seguenti verbi opportunamente coniugati.

riascoltare | richiamare | riesaminare | rileggere | ripresentarsi | rispiegare | rivedere

Ieri si è ______________ qui in negozio, per la seconda volta nel giro di tre giorni, un cliente che aveva comprato un videoregistratore. Ha voluto ______________ assieme a me un apparecchio uguale al suo, ha ______________ le mie spiegazioni, ma, non contento, ______________ le istruzioni, interrogandomi di tanto in tanto perché non le capiva. Alla fine l'ho salutato sperando di non ______________ -lo più, ma già questo pomeriggio mi ______________ chiedendomi di ______________ -gli il tutto!

10 Completa con il futuro anteriore.

9

1. Dopo che (laurearsi) ______________ Ida andrà a fare un master.
2. Andranno al liceo quando (finire) ______________ la terza media.
3. Mi sentirò bene solo dopo che (pagare) ______________ tutti i conti.
4. Dopo che vi (alzarsi) ______________ vi farò la colazione.
5. Rimarrà solo quando i suoi (partire) ______________.
6. Potrete uscire appena (fare) ______________ i compiti.

E ora rifletti. Quali congiunzioni possono introdurre un futuro anteriore?

(__________) __________ __________ __________

3

11 Progetti.
Completa il dialogo con il futuro semplice o anteriore.

◆ Franca, quando hai detto che (voi – andare) ______________ alle Egadi?

● Beh, penso ai primi dell'estate. Comunque certo prima della stagione turistica.

◆ E cosa (voi – fare) ______________?

● Prima di tutto (andare) ______________ a Favignana, un'isola splendida. La (attraversare) __________________ in bicicletta o a piedi e dopo che l' (vedere) ______________ tutta e che (visitare) ________________ gli Stabilimenti Florio, la più grande tonnara* di terra del Mediterraneo che oggi appartiene alla Regione Siciliana, (passare) ____________ di sicuro a Marettimo.

◆ Magnifico, come vorrei essere al vostro posto!

● Sì, certo, (noi – fare) ______________ dei bagni, (prendere) ______________ il sole, (camminare) ______________ molto. Purtroppo però, quando (passare) ______________ quell'unica settimana di ferie, (io – dovere) ______________ riprendere il lavoro e mi (aspettare) ______________ un periodo duro. E inoltre appena (io – tornare) ______________, (partire) ______________ tu per le vacanze!

* la tonnara = impianto per la pesca dei tonni

12 Qual è la reazione opportuna? Se gli abbinamenti saranno esatti, le lettere – lette consecutivamente – daranno la reazione adatta all'ultima frase e che è sinonimo di *mi tocca*.

13

1. Sapete che Davide ha vinto al lotto?
2. Ma sai che finalmente è arrivato?
3. Ti pare il modo di lavorare questo?
4. Io però questo non lo sapevo.
5. Guardi che il pacco non mi è arrivato.
6. Ma devi proprio andarci?

Ci scusi tanto. Non capisco come sia successo. A
Hai ragione, ma ho avuto poco tempo. O R
Davvero? Incredibile! P E
Che Le devo dire ... Z
Ah, per fortuna! R F

Eh, ___ ___ ___ ___ ___ ___ ___ ___ !

13 Qual è il posto del possessivo? Completa le frasi, come nell'esempio.

14

1. Guarda che per ---- colpa tua ho perso l'aereo!

   Caro signore, la _____ colpa _____ è di arrivare sempre in ritardo.
2. I ______ affari ______ non vanno bene. E i vostri?

   Perché non vi fate gli ______ affari ______?
3. Domani vieni a ______ casa ______?

   La ______ casa ______ è proprio bella e la amiamo.
4. Torneremo fra due giorni. Tanti saluti da ______ parte ______.

   La ______ parte ______ di lavoro l'abbiamo già fatta.
5. Sono al verde. Il ______ conto ______ in banca è a zero.

   Vorrebbero lavorare per ______ conto ______.
6. In ______ vita ______ non ha mai lavorato.

   Nella ______ vita ______ ha avuto molti amici.
7. ______ mamma ______, che disastro!

   La ______ mamma ______ fa la consulente. E la tua?

3

Parole, parole, parole ...

1 Ecco alcuni SMS. Riscrivi i messaggi in italiano "corrente".

2

1. Xciò non so a che ora arrivo. ______________________.
2. T amo sempre di +. ______________________.
3. 6 d'accordo? ______________________?
4. Ke fai domani? ______________________?
5. La prox volta non ritardare. ______________________.
6. Cmq t rikiamo dopo. ______________________.

2 Ricostruisci 6 messaggi con i seguenti elementi.

- Me lo rimandi?
- ne dici di trovarci stasera?
- me a una mostra. Ma non
- mi permetto di presentare domanda
- È da troppo che non ci vediamo, non ti pare?
- ci sei mai. Beh, fatti sentire tu.
- l'indirizzo di posta elettronica di Giovanna.
- davanti bar Roma.
- per l'impiego in questione.
- se venivi con
- avevo chiamato per chiederti

4

1. Ciao, Linda, ho perso ______________________
______________________?
2. Egregio Dottore, ______________________.
3. Milano, 12.8.03 – Amore mio, come stai? ______________________
______________________?
4. Domani, ore 14, ______________________.
5. Ehi, ciao Franco, senti, che ______________________?
6. Ciao, Carla, ti ______________________
______________________.

3 Completa lo schema. Se le risposte saranno esatte nelle caselle in neretto apparirà il luogo dov'è andato Piero.

3

1	R								T	
		2 M								
3			H				E		A'	
		4		M		R				
5 M					I			I	A	
	6 S			M		I		R		
	7 C						A		E	
			8			I				
	9 M									

Una sera mi sono messa al computer e gli ho inviato una **8** _____ – ________ per avvisarlo che il colloquio di lavoro mi era andato a **5** ___________. Forse sarebbe stato più carino chiamarlo al telefono, ma ormai è diventata un'abitudine quotidiana quella di **6** ___________ una mail ogni giorno. Siccome però il giorno dopo non mi aveva ancora risposto, gli ho telefonato e lasciato un **9** ___________ sulla segreteria telefonica. Ma anche in questo caso non ho avuto sue notizie. Come mai non era raggiungibile? Era davvero un **2** _________, perché di solito la sera lo trovavo sempre a casa. Forse il mio **4** _________ era ingiustificato, ma ero un po' **1** _____________. Così ho chiamato i suoi. «Piero» – mi hanno raccontato – «è dovuto andar via all'improvviso per motivi di lavoro. Ha cercato di telefonarti, ma probabilmente avevi il **7** ___________ spento. E dall'aereo non poteva chiamarti. Dovrebbe tornare domani, comunque ti **3** _____________ dall'aeroporto.»

Soluzione: Piero è andato in _ _ _ _ _ _ _ _ _ _ .

4

4 Sostituisci *essere sufficiente* con le corrispondenti forme di *bastare*.

1. Guarda che era sufficiente dirmelo. ____________________.
2. Non è sufficiente finire per giovedì? ____________________?
3. Sarà sufficiente arrivare entro le otto? ____________________?
4. È stato sufficiente vedersi per capirsi. ____________________.
5. Credo che sia sufficiente informarli domani. ____________________.

5 Trasforma il racconto al passato, come nell'esempio.

Ultimamente Miriam ha problemi con il marito. Intanto le dà
5 fastidio che lui fumi, poi che sia così riservato e che non voglia mai ospiti in casa. Crede che lui non la capisca più e ha paura che i suoi sentimenti non siano più quelli di una volta. Per lei è importante che lui sia gentile e affettuoso, si aspetta poi che qualche volta le regali un fiore. Teme che Silvio abbia un'altra e non sa che lui è solo stressato.

L'anno scorso la mia amica Miriam **ha avuto** problemi con il marito.

____

____

____

____

____

____

____

Ora, però, che lei ha capito la situazione, tutto è tornato come prima.

6 Congiuntivo o indicativo? Completa.

6

1. Non sapevo che Giulio (stare) __________ male.
2. Temiamo che il numero (essere) __________ destinato a crescere.
3. Secondo me (lei – firmare) _______ già ___________ il contratto.
4. Perché non (voi – lasciare) ____________ mai un messaggio?
5. Vogliono che i figli (abituarsi) ____________ a mangiare di tutto.
6. Credevamo che (loro – amarsi) ____________ . Resta il fatto che (lasciarsi) ________________ pochi giorni fa.
7. È tanto bella. Peccato che (avere) ____________ un così brutto carattere!

7 Qual è la reazione adatta? Se gli abbinamenti saranno esatti le lettere delle reazioni – lette consecutivamente – daranno un sinonimo di *meno male*.

1. Come mai è sempre così serio?
2. Prima di tutto è sordo.
3. Sai che ha finalmente trovato un posto?
4. Abbiamo ancora un sacco di lavoro.
5. C'è di nuovo nebbia.
6. Mi spiace. Ho rotto il tuo CD.

a. Come sarebbe a dire?? A
b. E allora diamoci da fare! T U
c. Non capisco. È davvero un mistero. P E
d. Meno male! O R
e. Già. E poi urla sempre. R F
f. Sai che gioia! N

Soluzione:
Si può dire *Meno male!* oppure _ _ _ _ _ _ _ _ _ _ !

4

8 Scegli, fra le tre indicate, la preposizione esatta.

7

1. Non capisco perché si arrabbi sempre di su con me!
2. Si tenevano teneramente per a da mano.
3. Bravo com'è, è certamente destinato a per su grandi cose.
4. Il sondaggio ha messo in a tra luce dati molto interessanti.
5. --- In Per quanto riguarda questo argomento, non saprei cosa dirti.
6. Siamo arrivati alla con la nella conclusione che è davvero una persona strana.
7. Ieri stavo così così, ma oggi per fortuna mi sento con a di meraviglia.
8. Già hanno diversi problemi, ma le prove in di da arrivo saranno di certo ancora più difficili.

9 Una madre si lamenta. Completa.

avessimo	facessi	fosse	fossi

4

I miei figli mi trattano come se __________ una donna di servizio. Tornano qui solo per mangiare e dormire, come se la casa __________ un albergo. Spendono sempre un patrimonio come se Mario ed io __________ i miliardi. Mio marito dice che la colpa è mia – come se io non __________ di tutto per non viziarli – e che purtroppo si comporteranno sempre così.

10 Trasforma l'esercizio precedente al discorso indiretto.

10

Una donna si lamenta che i ______ figli _____ __________ male, che __________ a casa solo per mangiare e dormire, che __________ sempre un patrimonio come se Mario e ______ avessero i miliardi. ______ marito dice che la colpa è _______ e che purtroppo i figli __________________ sempre così.

11 Chi pensa le seguenti frasi?

◯ Appena possibile mi farò cambiare il turno di lavoro!

◯ Mi dispiace che non ci sia anche mia moglie. Senza di lei mi annoio.

◯ Che bella idea far finta di aver paura. Mi dispiace che il film finisca in fretta.

◯ Secondo me il vecchietto non capisce niente di tressette.

◯ Ha ragione mio marito quando mi consiglia di comprarmi degli occhiali.

12 Cosa dicono le persone? Trasforma le frasi al discorso indiretto.

1. La ragazza dice che ______ una bella idea far finta di aver paura e che _____ __________ che il film __________ in fretta.
2. L'uomo davanti alla TV dice che _____ __________ che non ci ______ _____ moglie e che senza di lei _____ __________.
3. La signora dice che _____ ragione ______ marito quando _____ consiglia di comprar____ degli occhiali.
4. L'uomo appena alzato dice che appena possibile ____ ________ cambiare il turno di lavoro.
5. La giocatrice di carte dice che il vecchietto non ____________ niente di tressette.

4

13 Capacità logiche. Segna la risposta esatta come nell'esempio. Le lettere – lette consecutivamente – daranno la risposta all'ultima frase.

12

1. *Piccolo* sta a *grande* come *alto* sta a X.
   ☐ arrabbiato (D) ☐ nuovo (R) ☒ basso (M)

2. *Argomentare* sta a *discutere* come *urlare* sta a X.
   ☐ gridare (I) ☐ richiamare (A) ☐ essere sufficiente (O)

3. *Aumentare* sta a *crescere* come *succedere* sta a X.
   ☐ bastare (N) ☐ fare tardi (V) ☐ avvenire (T)

4. *Permettere* sta a *consentire* come *nominare* sta a X.
   ☐ esplodere (S) ☐ crescere (B) ☐ citare (T)

5. *Protestare* sta a *accettare* come *odiare* sta a X.
   ☐ aumentare (O) ☐ amare (E) ☐ apprendere (A)

6. *Privato* sta a *pubblico* come *arrabbiato* sta a X.
   ☐ totale (C) ☐ contento (N) ☐ ingiustificato (F)

7. *Montuoso* sta a *pianeggiante* come *necessario* sta a X.
   ☐ inutile (T) ☐ spiacente (G) ☐ creativo (L)

8. *Misteriosamente* sta a *stranamente* come *meno male* sta a X.
   ☐ appena (A) ☐ attualmente (I) ☐ per fortuna (E)

9. *Spedizione* sta a *consegna* come *destinatario* sta a

   M _ _ _ _ _ _ _ .

4

Invito alla lettura

1 Trova nello schema 11 parole (7 orizzontali ➔ e 4 verticali ↓) che hai appena imparato. Le lettere rimaste, lette nell'ordine, completeranno la frase. Inserisci poi le parole trovate nella categoria esatta, con il loro articolo.

1

C	A	M	E	R	A	O	P	E	R	A	T	O	R	I	A
P	E	R	I	O	A	M	B	U	L	A	N	Z	A	G	S
O	D	I	C	M	C	H	I	R	U	R	G	O	U	I	A
O	E'	P	S	A	L	O	T	T	O	U	B	B	T	A	G
R	E	C	E	N	S	I	O	N	E	L	I	C	O	L	G
P	O	L	I	Z	I	O	T	T	O	A	Z	I	R	L	I
O	N	Q	U	O	T	I	D	I	A	N	O	E	E	O	O

Soluzione:

Il  una

che esce a intervalli di tempo regolari.

mezzi di trasporto	letture	persone	luoghi

5

2 Completa con i seguenti verbi coniugati nel modo opportuno.

2

avere | bloccare | cadere | potere | venire

1. Gli Italiani vogliono una polizia efficiente, a patto che non li _______________ per eccesso di velocità.*
2. Prima che la Mobile _______________ fare qualcosa, l'assassino aveva già fatto una nuova vittima.
3. Sali pure purché tu non _______________ dalle scale!
4. Ti raggiungo anch'io a condizione che _______________ anche Davide e Susanna.
5. È rimasto in attesa per ore come se non _______________ altro da fare.

* (essere bloccati) per eccesso di velocità = perché si va troppo veloci

5

3 *Bello, grande* e *buono* possono avere diversi sinonimi, a seconda del nome a cui si riferiscono. Completa la tabella e adegua – dove necessario – l'aggettivo.

3

alto | ampio | attraente | avvincente | gentile | impeccabile | importante | lungo | positivo | valido | vantaggioso | veloce

bello	grande	buono
un thriller	un'invenzione	delle maniere
_______________	_______________	_______________
uno spettacolo	un romanzo	dei soldi
_______________	_______________	_______________
una ragazza	una zona	un affare
_______________	_______________	_______________
un pensiero	una montagna	un passo
_______________	_______________	_______________

4 Completa le frasi con i verbi opportunamente coniugati.

1. È il messaggio più affettuoso che (io – ricevere)
   ______________________________.
2. Ida è la donna più innamorata che (lui – conoscere)
   ______________________________.
3. È il vestito più logoro che (tu – indossare)
   ______________________________.
4. È il tono più ironico che (noi – sentire)
   ______________________________.
5. È la macchina più comoda che (loro – avere)
   ______________________________.

5 Completa con il verbo e la parola adatta.

4

1. Credevamo che loro non __________ molti soldi e invece sono __________.
2. Credevo che Biaggi __________ uno sciatore e invece è un __________.
3. Credevi che Ada __________ meglio e invece sta ancora __________.
4. Credevo che gli esercizi __________ errati e invece erano __________.
5. Credevo che __________ in attesa del mio arrivo e invece ve ne __________ via senza di me.
6. Credevo che __________ tutto e invece non hai ammesso proprio __________.
7. Credeva che io __________ tardi e invece, una volta tanto, sono arrivata __________.
8. Credeva che __________ sempre le sue responsabilità, ma lei non le ha __________ assunte.
9. Credevo che l'isola di Favignana si __________ nelle Eolie e invece è nelle Egadi.

5

6 Interessante! Anche se il tema non è stato trattato in modo specifico, molti *participi presenti* ti sono già noti da *Espresso 1* e *2*. Altri si possono ricavare dal verbo. Completa lo schema con un participio presente, come nell'esempio.

verbo	Chi? / Che cosa?	Come?
abitare	*l'abitante (m. + f.)*	(a)
aderire	---	
amare		amante (di)
assistere		---
cantare		---
convenire	---	conveniente
convivere		---
dipendere		(da)
divertir(si)	---	
emozionare	---	
equivalere		(a)
importare	---	
insegnare		---
interessare	---	
partecipare		(a)

5

Completa ora la regola.

I verbi in *-are* formano il participio presente in -______,

es.: ________________.

I verbi in *-ere* formano il participio presente in -______,

es.: ________________.

I verbi in *-ire* formano il participio presente in -______,

es.: ________________ oppure in -______, es.: ________________.

Il participio presente può essere sia un sostantivo che

un ____________________.

7 Completa con le seguenti sillabe alcuni sostantivi della lezione, aggiungendo l'articolo al posto dei puntini.

6

co	es	per	sc	to	zi

.... SCO___TA
.... STA___ONE
DI BEN___NA
.... SI___
.... TRAV___TIMENTO
.... CO___TINA
.... TRAFFI___
.... ___ENARIO
.... IDENTIFICA___ONE
.... ___PERIMENTO
.... ___NTINENTE

.... SORPR___A
.... S___MPENSO
.... ROMAN___
.... TRUC___
.... LET___RE
.... ___ERCITO
.... ___INTILLA
.... RAC___LTA
.... AU___RE
.... ATT___A

8 Trasforma al passivo le forme verbali sottolineate.

8

Barbara Bonanni, una poliziotta di Pisa, ha raccolto in un volume le frasi più divertenti che gli Italiani, fermati da lei per diversi motivi, hanno detto per giustificare* il proprio comportamento, le "scuse" che hanno raccontato per non dover pagare. Per questo il libro, che la Bonanni ha pubblicato nel 2003, è intitolato *Lo Scusario (dell'automobilista)*. Qui riporteremo solo alcuni esempi della fantasia degli Italiani. Alla domanda «Perché non si è messo il casco?»** un ragazzo ha risposto: «Perché mi rovinava i capelli col gel.» e un altro «Perché ho le orecchie a sventola*** e il casco mi fa male.» «Perché non ha allacciato le cinture di sicurezza?» «Perché oggi ho mangiato troppo.», si è giustificato uno. «Sa perché L'ho fermata, vero?» «Immagino per eccesso di velocità, ma andavo un po' più forte del normale per far entrare più aria fresca... »

* giustificare = scusare; ** il casco = la protezione di metallo per la testa; ***avere le orecchie a sventola = avere le orecchie in fuori, sporgenti

(1) Alcune frasi divertenti ______________________ in un volume.

(2) Il libro ______________________ nel 2003.

(3) Qui ______________________ alcuni esempi della fantasia italica.

(4) Lei ______________________ perché ...

5

9 Leggi e completa con il passivo.

apprezzare	costruire	descrivere
descrivere	individuare	
istituire	offrire	trasformare

A piedi, in bicicletta o a cavallo. Spostandosi senza fretta, con ritmo lento, per meglio godere il paesaggio e stabilire un vero contatto con la natura. Strade poco note e frequentate, a volte dimenticate, ma anche collegamenti cittadini. Sono le «Greenways», le «vie verdi» che offrono un sistema di spostamento alternativo a quello automobilistico. Queste vie, facili da percorrere, ________ / ________ ____________ nella guida «Natura e territorio», che ________ / ________ ____________ gratuitamente negli Uffici per il Turismo. Negli Stati Uniti, dove è nata l'idea delle Greenways, ______ ______ ____________ 5 tipologie di percorsi: cittadini, ricreativi, ecologici, storici e paesaggistici, multifunzionali. In Europa ______ ______ ____________ nel 1998 a Namur, in Belgio, l'associazione europea (www.aevv-egwa.org). In Spagna, uno dei Paesi più attivi in questo campo, 7 mila km di strade ferroviarie non più in uso ______ ______ ____________ in altrettante *vias verdes* e in Gran Bretagna si sta sviluppando la più estesa rete ciclabile d'Europa (15.000 km). In Italia ______ ______ ____________ finora 9 vie verdi che ________ / ________ ____________ nel volume «Greenways in Italia» di recente pubblicazione. Di certo in futuro le vie verdi ________ / ________ ____________ sempre più.

10  Completa lo schema in base alle definizioni. Le caselle scure daranno un nuovo modo di dire.

10

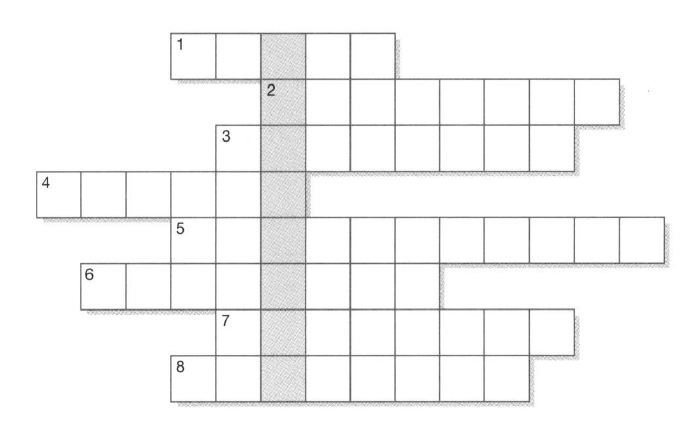

1. È un racconto dove compaiono principi e fate.
2. Gli uomini ne hanno fatte e ne fanno di molto importanti, ad esempio nel campo della medicina.
3. Quando c'è, non partono né i treni né gli aerei.
4. Quando c'è, non c'è pace. Ce ne sono state due di mondiali e purtroppo ce ne sono anche oggi.
5. Lo può fare una strega o una fata e con questo si può trasformare un animale in un principe (o viceversa).
6. È l'insieme dei soldati che vanno alla guerra.
7. Questo medico può operare.
8. In questo posto ci può finire un ladro e di certo un assassino.

Soluzione:
Vedere il sole ___ ___ ___ ___ ___ ___ ___ ___ significa essere in prigione.

5

11 Completa il dialogo con le seguenti espressioni.

12

c'è ... da fidarsi	c'è da perdere	c'è ... da ridere	c'è da aver paura

- ● Senti, io ho timore dei ladri! Perché non installiamo una porta blindata?
- ◆ Ma dai, qui da noi non ____________________!! Temi che ti portino via la parrucca? O forse la dentiera d'oro?
- ● Non fare il cretino. Guarda che ______ poco ____________.
- ◆ Va bene, scusami, volevo far solo una battuta e tranquillizzarti ...
- ● D'accordo, ma intanto, siccome non ____________________ tempo, chiama subito l'installatore. E speriamo che arrivi in fretta!
- ◆ Eh, già, al giorno d'oggi non ______ tanto ____________ degli operai! Sai quando li chiami, ma non sai mai quando arrivano ...

5

12 Qual è la reazione esatta?

1. Conosci la Mazzantini?	a. Leone.
2. Io leggo sempre i quotidiani.	b. Veramente no.
3. Usi sempre scarpe in tinta?	c. Fa' vedere!
4. L'ingresso è gratuito?	d. Fai bene!
5. Mi passeresti il sale?	e. No, c'è da pagare.
6. Di che segno sei?	f. Certo, eccolo.
7. È uno dei più bei libri che abbia mai letto.	g. Beh, così mi sembra di essere più distinto.

La famiglia cambia faccia

1 Con l'aiuto delle iniziali, completa lo schema.

2

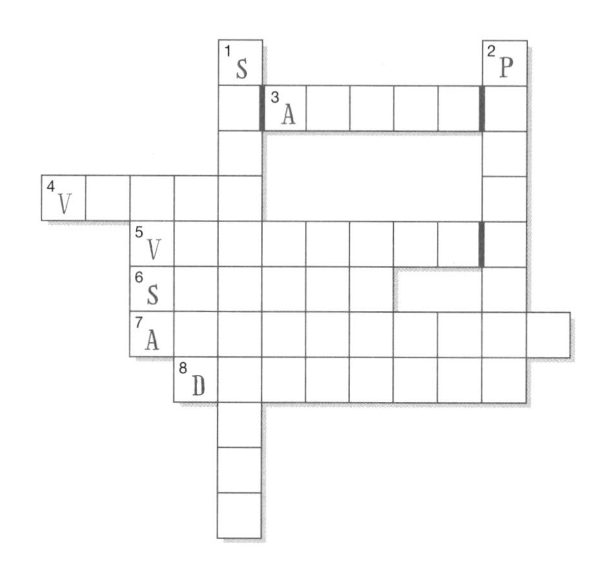

Alcuni anni fa, dopo un periodo di 1 ↓, Gilberto e Marinella avevano chiesto il 8 →. Chiaramente amici e parenti avevano voluto dire la loro. I genitori erano assolutamente contrari. La madre di lei aveva reagito dicendo: «Una 4 → marito e moglie stavano insieme a qualsiasi costo. Per me 6 → a divorziare. È una 5 →!» Ma Marinella aveva obiettato che era meglio lasciarsi che 7 → di continuo. Gli amici erano d'accordo con lei, sostenendo che il marito non faceva 3 → che bere e giocare ai videogames. Sono passati alcuni anni. Marinella si è rifatta una vita ed è felice. Gilberto, invece, non li ha trascorsi bene e oggi sarebbe quasi quasi 2 ↓ a chiedere alla ex moglie di tornare insieme.

2 Sostituisci agli aggettivi in *-bile* (anche se a te non noti) la relativa frase/parte di frase (con verbi a te noti), come nell'esempio. Attenzione ai tempi!

La cosa *è fattibile*.

La cosa **si può fare**.

Questa è una cosa *fattibile*.

Questa è una cosa **che si può fare**.

1. Sei un'amica insostituibile!

_______________________________.

2. Con quella pettinatura era irriconoscibile.

_______________________________.

3. Purtroppo la sua è stata una malattia incurabile.

_______________________________.

4. Il nostro è stato un incontro inevitabile.

_______________________________.

5. La casa sarà pagabile anche a rate.

_______________________________.

6. Quei due erano proprio inseparabili.

_______________________________.

7. Il vostro è un progetto intelligente e proponibile ai colleghi.

_______________________________.

E ora rifletti e rispondi alla domanda. Il suffisso *-bile* indica una possibilità o una necessità?

_______________________________.

6

3 Completa con le forme irregolari del comparativo/superlativo.

maggiore | maggiori | massimo | meno | migliore | minimo | minore | pessima

Fino a circa 30 anni fa una delle ______________ preoccupazioni era il crescente aumento della popolazione mondiale. Oggi, invece, assistiamo al problema contrario: a un tasso di crescita non solo ______________, ma in assoluto molto basso, tanto che – se si va avanti così – si toccherà un ______________ storico. Cosa ha giocato un ruolo tanto decisivo nel decremento delle nascite? Una ______________ contraccezione, un numero sempre ______________ di donne che lavorano e l'idea (anche se non ammessa dai genitori) che avere ______________ figli sia più semplice e più economico. Secondo un sociologo francese siamo praticamente arrivati al ______________ dell'individualismo. «L'idea del figlio unico è ______________, una vera vergogna», sostiene nell'articolo una nonna di Roma. E infatti avere dei fratelli aiuta i bambini a crescere meno egoisti e viziati.

4 Completa con le forme irregolari del comparativo/superlativo (eventualmente con l'articolo).

1. Si dice che il cane sia ___________ amico dell'uomo.
2. Il suo comportamento non mi piace, ieri poi è stato ___________ del solito, ___________ che abbia mai tenuto ultimamente.
3. Si azzuffano in continuazione? Beh, mi sembra che allora sia ___________ lasciarsi.
4. Buono questo caffè, davvero ___________, anche se ___________ di tutti lo fanno al «Sociale».
5. È litigioso e ___________ cosa che possa fare è quella di non scusarsi mai.

5 Vero o falso?

5

Nel corso del Forum della Terza Età, che si è svolto nel settembre '03 a Riva del Garda, è stato presentato il «6° Rapporto *Essere anziani oggi*», risultato di un'ampia ricerca a livello europeo. Nel Rapporto si parla degli anziani di Francia, Germania, Gran Bretagna, Italia e Spagna. Negli attuali 15 Paesi dell'Unione Europea vivono 60 milioni di persone con più di 65 anni: oggi è il 15% della popolazione totale, nel 2020 sarà il 20% ed in particolare in Italia, che già adesso è al primo posto rispetto agli altri 4 Paesi europei, rappresenterà ben il 23,6%. È chiaro che questi dati implicano problemi sociali, economici e organizzativi. Il Rapporto, però, ha messo in luce che circa il 90% degli anziani si ritengono in discrete condizioni. In Italia il 47% degli intervistati dice di essere in forze, autonomo e vitale; il 41% abbastanza vitale e autonomo con qualche problema e solo il 13% sostiene di avere più di qualche problema. Per quanto riguarda le condizioni di salute sono buone per il 73% in Italia, il 68% in Spagna, l'82% in Francia e in Germania.

	V	F
1. In 5 Paesi europei sono state intervistate le persone di una certa età.	☐	☐
2. I risultati di questa indagine sono stati presentati nel settembre '03 a Riva.	☐	☐
3. In Italia vivono attualmente più anziani che in Francia, Germania, Gran Bretagna e Spagna.	☐	☐
4. Attualmente in Italia il 23,6% della popolazione totale sono anziani.	☐	☐
5. Più della metà degli intervistati italiani sostiene di essere autonoma e vitale.	☐	☐
6. Pare che gli anziani maggiormente in buona salute siano in Francia e Germania.	☐	☐

6 Trasforma le frasi, secondo il modello.

6

Sebbene i nonni *abbiano* meno nipoti, non sono più così disponibili.

Anche se i nonni **hanno** meno nipoti, non sono più così disponibili.

1. Sebbene non studino troppo, si arrangiano.
   Malgrado ______________________________.
2. Anche se non hanno più molta energia, stanno dietro ai nipotini.
   Sebbene ______________________________.
3. Benché gli adulti li carichino di impegni, a volte i bambini trovano il tempo di annoiarsi.
   Anche se ______________________________.
4. Anche se le condizioni del tempo sono preoccupanti, gli aerei partono.
   Nonostante ______________________________.
5. Nonostante si siano separati, sono rimasti buoni amici.
   Anche se ______________________________.
6. Anche se piove a dirotto, abbiamo deciso di uscire.
   Malgrado ______________________________.

7 Completa.

9

ci si alza	ci si bacia	ci si deve	ci si incontra	ci si lava	ci si separa	ci si preoccupa

1. ________________ poco volentieri se si è dormito poco.
2. Spesso ________________ troppo di cose banali.
3. ________________ con l'acqua fredda, in mancanza d'altro.
4. Quando si hanno delle difficoltà, non ________________ arrendere subito.
5. Non ________________ facilmente dai propri amici.
6. Quando ________________, in Italia in genere ________________ e abbraccia.

6

8 Completa con il verbo e la forma impersonale *si* o *ci si*.

Se (studiare) ______________ troppo, (stancarsi) _______________ in fretta. È ben vero che poi (potere) ________________ rilassare ascoltando della buona musica o riposandosi un po', ma a volte la stanchezza è tale che, anche se (fare) ________________ una breve pausa, spesso non (riacquistare) ________________ le energie spese. E poi, mi chiedo, se non (divertirsi) ________________ alla nostra età, quando (dovere) ________________ divertire?

E ora rifletti e completa.

La forma impersonale *ci si* viene usata con i verbi _______________, anche se accompagnati da un verbo modale (come ______________ o ___________).

Dopo *ci si* il verbo è sempre nella 3ª persona ________________.

6

9 Qui compaiono gli anagrammi (es. pasti – pista) di alcuni vocaboli che hai appena imparato. Trovali e scrivili a fianco alla loro spiegazione.

10

dismnvilidiuao	sspreiosene	lrboil	
asormpneno	nenpremaza	nolvtoà	pitaane

1. Lo è uno che ha bevuto un po' troppo. ____________________
2. Non è il nostro vero nome, ma spesso ci conoscono (e ci chiamano) con questo. ____________________
3. Periodo di tempo continuato. ____________________
4. Capacità di investire le proprie energie per uno scopo. ____________________
5. Corpo celeste che gira intorno al sole. ____________________
6. Caratteristica di una persona che pensa solo a se stessa. ____________________
7. Quella di una persona arrabbiata può far paura. ____________________

10 Completa questa lettura.

almeno | anzi | comunque | eppure | negare
nulla | proprio | segreto | velocissimo

Chi avrebbe il coraggio di __________ che la pizza migliore del mondo è italiana? __________ i napoletani hanno avuto una bella sorpresa: la pizza più buona è giapponese, __________ secondo la giuria del Festival Pizzafest 2003, che __________ a Napoli ha nominato pizzaiolo dell'anno Makato Onishi. «Il mio __________? Non lascio mai __________ all'improvvisazione, __________ rispetto scrupolosamente la ricetta tradizionale dell'Associazione Verace Pizza Napoletana», dice Onishi che da due anni lavora nel ristorante *Da Gaetano* di Ischia.
«E __________ uso solo olio extravergine e mozzarella di bufala. E per finire sono __________ a impastare farina, acqua e lievito. Così la pizza diventa delicata come la seta.»

6

11 Completa con le seguenti forme del gerundio irregolare.

11

bevendo | conducendo | dicendo
facendo | ponendo | traducendo

1. __________ sport mi sono rotto un ginocchio.
2. __________ un'indagine la polizia può scoprire un assassino.
3. __________ sempre quello che si pensa, si rischia di ferire qualcuno.
4. __________ quel testo ho dovuto ricorrere al vocabolario.
5. __________ bibite gasate si ingrassa.
6. Posso avere dei chiarimenti solo __________ delle domande.

12 In queste frasi è contenuto un nuovo uso del gerundio. Leggile con attenzione e poi prova a dire cosa significa *pur* + gerundio.

1. Pur mangiando poco non riesce a dimagrire.
2. Pur studiando molto non vado bene a scuola.
3. Pur giocando spesso al lotto non vinciamo mai.
4. Pur non avendo soldi, voglio farle un regalo.
5. Pur non avendo sete bevo molto.

Pur (non) *studiando* significa _______ _____ (non) *studio/studi...*

13 Abbina ai verbi della lista tutte le parole possibili.

13

faccia | gli occhi | i mobili | i piatti
i vetri | il bagno | il nonno | l'aspirapolvere
la tavola | male | un ruolo | un salto

6

apparecchiare ______________________________

cambiare ______________________________

distogliere ______________________________

fare ______________________________

farsi ______________________________

giocare ______________________________

lavare ______________________________

passare ______________________________

pulire ______________________________

spolverare ______________________________

Feste e regali

1 Riposo e lavoro. Tutte le parole cominciano con la stessa lettera.

2

La **1** è la sesta lettera dell'alfabeto italiano.
Due giorni **2** ho fatto il presepio.
3 tre giorni brinderemo al Nuovo Anno.
La **4** è il personaggio buono delle fiabe.
I **5** che si regalano alla festa della Donna sono le mimose.
Il **6** lavora spesso il ferro.
Le **7** le usiamo per tagliare la carta.
Le **8** domestiche mi impegnano molto.
Il **9** è la persona che fornisce un'azienda, un negozio o un ufficio di determinati prodotti.
Il **10** è il 15 agosto, un giorno in cui tutto (o quasi) in Italia è chiuso.
Odio le **11** da ballo!

1										
2										
3										
4										
5										
6										
7										
8										
9										
10										
11										

2 Che stufa! I miei genitori non mi lasciano uscire mai la sera e, se qualche volta me lo permettono, devo rientrare al massimo a mezzanotte! Mi danno pochissimi soldi, si lamentano di come mi vesto, devo fare i lavori di casa e non ho mai tempo per me!

4

1. Magari mi lasciassero uscire la sera!
2. ______!
3. ______!
4. ______!
5. ______!
6. ______!

7

3 Trasforma le frasi con *mica* in *non … mica* (e viceversa).

1. Non sei mica obbligato a mangiare tutto!

   ____!

2. Non dovete mica fare scherzi per forza.

   ____.

3. Non è mica giusto che pensi solo a se stesso.

   ____.

4. Mica sono stato io a farlo.

   ____.

5. Mica ci deve andare per forza.

   ____.

4 Completa con il condizionale composto.

7

1. Mi aveva promesso che non mi (fare)_______________ scherzi.
2. Sapevo che la cosa (andare) _______________ a finire così!
3. Gli avevo assicurato che non (arrivare)________ più _________ in ritardo.
4. Le aveva giurato che non (mascherarsi) _________ più __________.
5. Non ti aveva promesso che (lavare) _______________ lui i piatti?
6. Sapevamo che (lei – tenerci) _______________ ad avere il posto.

5 Completa con il tempo/modo opportuno.

Quest'estate mia moglie mi aveva promesso che a Natale lei non (fare) _______________ il presepio. E invece … Io odio le feste e tutte le ricorrenze, mentre lei (tenerci) ____________ moltissimo. Alla Festa della Donna, per esempio, vorrebbe che io non (dimen-

ticarsi) _______________ di regalarle le mimose, che a carnevale (mascherarsi) _______________, che il 31 dicembre (aspettare) ___________ la mezzanotte per brindare! Mi aveva giurato che mai più noi (giocare) _______________ a tombola ed invece eccomi qua con gli amici, davanti a cotechino e lenticchie e la scatola del gioco già pronta per dopo.
Ma è mai possibile che non si (potere) _________ festeggiare qualcosa in modo più alternativo?

6 Completa con le seguenti parole.

8

casa	circostanza	cravatta	dovere	figuraccia	giorno
lettore	pacco	regalo	sottoscritto	tempo	volta

Per carità, riflettete prima di fare un _____________! O vi capiterà di fare una _____________ come è successo al _____________ proprio il _____________ di Natale.
Un mio collega arriva il 22 in ufficio e mi porge un _____________ con un incarto perfetto. Si trattava di una splendida _____________ a pallini. Era la prima _____________ che mi dava qualcosa ed è chiaro che mi sono sentito in _____________ di ricambiare. Logicamente il mio era un cosiddetto regalo di _____________, inoltre non avevo molto _____________ per girare nei negozi. Così, tanto per regalare qualcosa, ho riciclato quello che mia moglie aveva comprato per me: un bel _____________ CD.
E così, il giorno della festa, mi sono presentato a _____________ sua. La figuraccia di cui parlavo prima? Beh, mi ero dimenticato che lui odia ogni tipo di musica ...

7 Completa con un riflessivo combinato con un altro pronome.

se la | se le | se li | se lo | se ne

1. Oggi i giovani scrivono molti SMS, no?
   Eccome, _______ inviano moltissimi, direi quotidianamente.
2. Chissà perché le ragazze si prestano i vestiti.
   Beh, se _______ scambiano, sembra che ne abbiano un sacco, no?
3. Anche i tuoi figli indossano solo scarpe da ginnastica?
   Eccome, _______ mettono persino in inverno!
4. Ti hanno riportato la chitarra?
   Macché, _______ sono dimenticata di nuovo!
5. Ma si può comprare una macchina nuova ogni anno?
   Beh, se _______ può permettere ...

7

8 Completa con un gerundio ed il pronome adeguato.

1. Ved_______ ho capito che tenevo ancora molto a lui.
2. È riuscito a convincermi, dimostr_______ che aveva ragione.
3. Mi ha regalato la sua bicicletta priv_______ .
4. Mi ha regalato delle mimose e dan_______ mi ha detto «Auguri»!
5. Ha tirato fuori la mia sciarpa nuova e mett_______ mi ha detto che era proprio bella calda.
6. Ho ricevuto un regalo riciclato riman_______ davvero male.
7. Non ci vedo molto e, non distingu_______ bene dalle mie, mi sono messo le scarpe di mio figlio!

9 Sostituisci le espressioni <u>sottolineate</u> con il gerundio presente.

<u>Con il suo lavoro</u> nella Polizia Barbara Bonanni ha incontrato diverse persone curiose e fantasiose. Un giorno, <u>mentre ferma</u> un automobilista, si accorge che quello ha in mano un telefonino. «Scusi, eh» - gli fa <u>mentre lo guarda</u> seria - «Lei sa benissimo che è vietato.» E l'altro, quasi <u>come se piangesse:</u> «Lo so che Lei mi ha visto col cellulare in mano, ma Le giuro che non stavo parlando: ascoltavo e basta!».
Un altro giorno, poi, blocca una signora che, <u>visto che non rispetta</u> il semaforo, rischia di provocare un incidente. <u>Mentre la ferma e le chiede</u> i documenti, le dice nervosamente: «Signora, guardi che è passata col rosso!» E l'altra, <u>mentre si giustifica</u> del suo comportamento: «Sono passata col rosso, è vero, ma era quasi verde o al massimo tendente al giallo.»
Queste e tante altre scuse sono state raccolte in un libro e la Bonanni, <u>mentre lo scriveva</u> e poi <u>mentre lo offriva</u> a noi lettori, aveva uno scopo: quello di ricavare dei soldi che andranno in beneficenza *. Infatti serviranno a costruire un rifugio per cani abbandonati. «Noi della Polizia Stradale – spiega – troviamo molti animali abbandonati . <u>Se guadagnerò</u> qualcosa contribuirò alla creazione di un centro per quelli che sono lasciati sulle vie urbane ed extraurbane da padroni senza cuore».

* la beneficenza = la carità, la filantropia, l'aiuto a chi ne ha bisogno

1. ____________________
2. ____________________
3. ____________________
4. ____________________
5. ____________________
6. __________ e __________
7. ____________________
8. ____________________
9. ____________________
10. ____________________

Sottolinea la risposta esatta.

I pronomi personali (seguono, precedono) sempre il gerundio.

7

10 Trasforma le frasi come nell'esempio.

9

Si alza tardi. Per questo perde sempre il treno.

Se si alzasse presto non perderebbe sempre il treno.

1. Quel vestito è caro. Per questo non lo compro.

   ______________________________.

2. Questi mobili sono antichi. Per questo non mi piacciono.

   ______________________________.

3. Sei una persona rumorosa. Per questo non ti sopporto.

   ______________________________.

4. È una lingua difficile. Per questo non la studiamo.

   ______________________________.

5. In montagna fa freddo. Per questo non ci andate.

   ______________________________.

7

11 Cosa risponde la madre alla figlia Anna (dell'attività 2)?

Carissima, se tu torna_____ a ore decenti, noi ti permetter_____ di uscire più spesso. Se tu non spend_____ tutto in scarpe, io ti dar_____ più soldi e sono certa che anche tuo padre sar_____ molto più generoso con te. Noi non ci lamenter_____ se i tuoi vestiti foss_____ più «normali». E, per finire, se i lavori di casa tu li fac_____ più in fretta, poi avr_____ di certo più tempo per te!

Salviamo il nostro pianeta

1 Questi modi di dire con i colori ti sono sconosciuti. Prova ugualmente ad abbinarli alle corrispondenti spiegazioni. Se gli abbinamenti saranno esatti le lettere – lette consecutivamente – daranno un nuovo modo di dire.

2

1. Ha passato *la notte in bianco.*
2. *Vede* tutto *rosa.*
3. Legge con curiosità *la cronaca nera.*
4. È partito *di punto in bianco.*
5. È *andato in rosso.*
6. È un locale *a luci rosse.*
7. È negli *anni verdi.*
8. Non ha *materia grigia.*

a. Il suo conto in banca è in passivo, sotto zero. E V
b. È un cinema che proietta film pornografici. E
c. Se ne è andato all'improvviso. I C
d. Non si comporta da persona intelligente, sensata. E
e. Non ha dormito per niente. I L
f. Trova interessanti gli articoli che parlano di incidenti e delitti. L L
g. È ottimista. P O
h. È giovane. R D

Soluzione: Avere __ __   __ __ __ __ __ __ __   __ __ __ __ __

significa essere particolarmente abili nel giardinaggio.

8

2 Completa con *dopo* o *prima di* + l'infinito adeguato.

4

capire | cercare | mettersi | partire | essere | vedere

1. ________________ inutilmente un parcheggio, ho deciso di tornare a casa.
2. ________________ a tavola, ho sempre molto appetito.
3. ________________ controlliamo sempre i bagagli.
4. ________________ di avere torto, mi ha chiesto scusa.
5. ________________ tanta neve, abbiamo deciso di andare a sciare.
6. ________________ a casa loro, ci siamo convinti che sono cordiali.

3 Completa le frasi con *dopo* o *dopo che* e il verbo adeguato.

1. ________ mio marito ______________ in considerazione l'idea di fare una settimana bianca, io ho proposto di passare il Natale ai Caraibi.
2. ________ ______________ idea per la seconda volta, non era ancora convinto della sua scelta.
3. ________ ______________ quella brutta figura, si è scusata con tutti noi.
4. ________ ______________ a destinazione, hanno fatto il programma di tutta la settimana.
5. ________ i miei figli ______________ via di casa, mi sono sentita molto sola.

Completa: ________ si usa quando nelle due frasi ci sono soggetti diversi (es. io … lei), ________ quando c'è identità di soggetto (es. io … io).

8

4 Incredibile ma vero. Leggi questo articolo di cronaca e completa con il connettivo adatto.

allora | così | dopo | alla fine | mentre | per | poi | quando | senza

Bolzano – Ménage familiare non sempre tranquillo?

__________ aver «dimenticato» la moglie in un'area di servizio* dell'Autostrada del Brennero, nei pressi di Bolzano, ha viaggiato per oltre 250 km, fino a Bologna, prima di accorgersene.

__________ è tornato indietro, ma, non ricordando il posto dove si era fermato, è arrivato fino in Austria. Disperato e non sapendo più cosa fare, __________ ha deciso di rivolgersi alla polizia e ha __________ potuto ritrovare la donna in questura** a Bolzano.
Protagonista dell'avventura è una famiglia emigrata in Belgio, che viaggiava in direzione di Brindisi per imbarcarsi.
Con i coniugi viaggiava anche, seduto davanti, il fratello del guidatore, __________ la moglie dormiva sul sedile di dietro.

__________ il guidatore si è fermato nell'area di servizio (Laimburg ovest), è sceso con il fratello per alcuni minuti. I due uomini sono __________ risaliti in auto, __________ accorgersi che la moglie era scesa __________ andare in bagno e hanno ripreso il viaggio senza controllare il sedile posteriore.

* l'area di servizio = zona per l'assistenza agli automobilisti;
** la questura = ufficio di Polizia

5 Abbina le frasi e completa con il gerundio passato.

1. (Sciogliersi) ____________________ la neve
2. (Sbagliare) ____________________ rotta
3. (Buttare) ____________________ via tutte le scatole vuote
4. (Venire) ___________-gli ___________ fame
5. (Essere abituato) ______________________ a mangiare di tutto

a. l'aereo è atterrato a Parigi anziché a Londra.
b. si è fatto un panino.
c. non avrà difficoltà in alcun Paese del mondo.
d. non si può più sciare.
e. non sa più dove impacchettare le scarpe vecchie.

6 Gerundio presente o passato? Sottolinea la forma corretta.

8

1. Spendendo / Avendo speso troppo a Natale, adesso sono completamente al verde.
2. Non ricordando / avendo ricordato il suo nuovo indirizzo, ci siamo rivolti ai suoi genitori.
3. Non capendo / avendo capito la regola, non sono riuscito a fare l'esercizio.
4. Sapendo / Avendo saputo bene l'inglese non avranno problemi all'estero.
5. Cadendogli / Essendogli caduto in testa un vaso di fiori, è dovuto andare all'ospedale.
6. Arrivando / Essendo arrivate in ritardo, non abbiamo trovato posto a sedere.
7. Essendo / Essendo stati stanchi preferiamo rimanere a casa.

7 Scrivi il nome di chi ha pensato queste frasi.

8

Anna: «Adesso basta, me ne vado.»
Francesco: «E adesso come sposto l'automobile?»
Paolo: «Il tempo non passa più senza un libro.»
Alberto: «Mi piaceva quel posto, ma che turni terribili!»
Sandra: «Per fortuna sono potuta partire.»

1. Se avessi portato con me gli occhiali avrei potuto leggere.

   ____

2. Se il distributore fosse stato aperto avrei fatto benzina.

   ____

3. Se fosse stato meno stressante non avrei lasciato il mio lavoro.

   ____

4. Se la radio avesse confermato la notizia dello sciopero avrei annullato il viaggio.

   ____

5. Se fosse arrivato entro le 4 sarei rimasta ad aspettarlo.

   ____

8

8 Ormai ... Completa con il periodo ipotetico del 3° tipo.

1. Se (lei – rimanere) ________ ________________ a casa, non (scottarsi) ___ ____________ ________ in quel modo.
2. Se (noi – pensare) ________ _____________ meno al lavoro, (avere) _______ __________ una vita meno stressante.
3. Se (tu – comprare) ________ _____________ un nuovo paio di occhiali, (potere) _______ ____________ leggere l'articolo senza problemi.
4. Se (mangiare) _____________ ___________ meno dolci, forse non gli (venire) _________ _____________ quel terribile mal di denti!
5. Se (loro – prendere) _________ _____________ meno medicine, forse (guarire) ____________ ____________ prima ...

9 Imparando l'espressione *Che abbia a che fare?* hai forse osservato che il congiuntivo in una frase indipendente (che inizia con *Che*) esprime un dubbio. Completa le frasi con i verbi opportunamente coniugati. Attenzione ai tempi!

11

1. Come mai non li hai incontrati?

   Che (prendere) ________________ un'altra strada?
2. Sono usciti con l'ombrello. Che (stare) ___________ per piovere?
3. Anna e Franca sono in ritardo. Che (avere) ________________

   un incidente?
4. Come mai non arriva? Che anche questa volta non

   (consultare) _________________ l'orario?
5. Come mai non aprono la porta? Che non (essere) ___________

   in casa?
6. L'ho visto uscire. Che (già finire) ________________ il concerto?

8

10 Test

13

Rispetti l'ambiente?	**no mai**	**quasi mai**	**sì a volte**	**sì sempre**
Butti per terra le cartacce?	4	3	2	1
Butti per terra il biglietto del bus?	4	3	2	1
Butti i rifiuti dall'auto?	4	3	2	1
Fai la raccolta differenziata?	1	2	3	4
Ti disturba vedere rifiuti in giro?	1	2	3	4
Usi tanti detersivi nelle pulizie?	4	3	2	1

da 21 a 24: Rispetti l'ambiente e te ne preoccupi.

da 17 a 20: Ti preoccupi dell'aspetto estetico e della pulizia dell'ambiente.

da 16 a 12: Potresti migliorare.

fino a 11: Devi affrontare seriamente il problema!

11 Completa il seguente articolo e decidi che parola manca.

Benvenuti nella casa più ❶ d'Italia. Mentre in tutto il ❷ si discute di salvezza dell'ambiente, una famiglia in Alto Adige l'ha già salvato. E in più risparmia.
A Gais, in provincia di Bolzano, il signor Albert Willeit vive in un sogno realizzato e ci sta così bene che non ❸ mai di uscire. Sul suo terrazzo è appesa una targa dove sta scritto che la sua è la miglior Casa Clima del 2002. Ha ricevuto questo riconoscimento (e 13 mila €) da una Provincia attenta all'ambiente come quella di Bolzano perché la sua abitazione è considerata la più ❹ d'Italia; ed è pure ❺. I materiali di costruzione sono ecologici. L'energia è quella solare e porta l'acqua fino a 90°. Se manca il sole si mette in funzione una caldaia a legna ❻ produce pochissimi rifiuti. L'acqua piovana* ❼. Il terrazzo è mobile e ❽ per seguire il corso del sole e per non far ombra sulle zone in cui serve la luce.
I Willeit mangiano carne una volta alla settimana, si curano con l'omeopatia, non ❾. Hanno arredi essenziali (così fanno pulizie solo una volta alla settimana), usano pochi detersivi e la lavastoviglie ❿ 3 giorni e fanno la raccolta differenziata dei rifiuti.

* l'acqua piovana = l'acqua che viene dal cielo

1.	ⓐ microscopica	ⓑ elegante	ⓒ ecologica
2.	ⓐ pianeta	ⓑ terra	ⓒ pianta
3.	ⓐ va	ⓑ le va	ⓒ gli va
4.	ⓐ sufficiente	ⓑ ambientalista	ⓒ sconsolata
5.	ⓐ inorridita	ⓑ innovativa	ⓒ amareggiata
6.	ⓐ che	ⓑ cui	ⓒ il quale
7.	ⓐ è stata riciclata	ⓑ viene riciclata	ⓒ era riciclata
8.	ⓐ si sposta	ⓑ spostandosi	ⓒ si sposti
9.	ⓐ mangiano	ⓑ fumano	ⓒ bevono
10.	ⓐ tutti	ⓑ tutti i	ⓒ ogni

Noi e gli altri

1 Completa con parole che hai appena imparato. Se le risposte saranno esatte troverai l'inizio di un proverbio italiano.

2

All'inizio gli aveva trovato solo qualità: lodava la sua _ _ S P O _ _ _ _ _ _ T _ , («Ha sempre tempo per gli altri.» – sosteneva), il suo _ _ _ _ _ I S _ _ («Vede tutto rosa.»), la sua S _ _ _ E R _ _ _ («Dice solo quello che pensa!»), la sua G E _ _ _ _ _ _ _ _ («Regala tutto a tutti.») e la sua _ _ _ _ _ B I L _ _ _ («Come mi capisce!»).
Con il tempo non solo ha cambiato idea, ma sostiene che è diventato l'esatto contrario. Si lamenta del suo _ G O _ _ _ _ , del suo _ _ _ _ _ _ _ _ _ _ , della sua _ P O _ _ _ _ _ _ , della sua _ V A _ _ _ _ _ e della sua _ U P E _ _ _ _ _ _ _ _ _ _ !

Soluzione: _ _ _ _ _ _ _ _ chi vai e ti dirò chi sei.
Significa che si può giudicare qualcuno dagli amici che ha e dalle persone che frequenta.

2 Qual è il numero della reazione adatta?

3

(1) Buttiamo il maglione?
(2) Non aspetta mai più di 10 minuti.
(3) Non mette mai via le sue cose.
(4) Ha un'opinione esagerata di sé.
(5) Non accetta mai le idee degli altri.

◯ Ma no, non è che sia poi così superbo!
◯ Ma no, non è che sia poi così impaziente!
◯ Ma no, non è che sia poi così intollerante!
◯ Ma no, non è che sia poi così disordinato!
◯ Ma no, non è che sia poi così scolorito!

9

3 Lamentele tra fratelli. Completa con il congiuntivo.

4

Vorrei che mia sorella la (finire) ___________ di mettersi sempre le mie cose. Mi farebbe piacere che almeno me lo (dire) ___________ quando si prende la mia maglia preferita (e sempre quando ho un appuntamento dove non voglio fare una brutta figura)! Preferirei, se proprio non può farne a meno, che si (prendere) ___________ i miei vestiti vecchi e scoloriti! E poi non solo mia sorella mi fa arrabbiare! Vorrei pure che i miei fratelli mi (dare) ___________ una mano nei lavori di casa, perché con la scusa che sono la più grande devo fare tutto io! Mi piacerebbe che non (alzare) ___________ il volume dello stereo ogni volta che mi metto a studiare e che mi (chiedere) ___________ il permesso di entrare in camera mia quando sono al telefono con le amiche.

9

4 Completa con il tempo opportuno del congiuntivo.

5

1. Spero che ieri (tu – fare) _____________ ordine o che lo _________ oggi.
2. Pensavamo che la lezione (finire) ___________ prima.
3. Non ritengo che (avere) ___________ tutte le manie che le attribuisci!
4. Pensavo che tu ieri alla festa non (mettere) _____________ la minigonna, anzi che alla tua età tu non le (indossare) _____________ proprio più!
5. Come potevo immaginare che il libro vi (servire) ____________ ancora? Io pensavo che l' (leggere) ________ già ________!
6. Credevo che ieri lui (tornare) ________ già _________ da Roma e che mi (stare) _______ chiamando da casa sua quando ha telefonato.

5 Completa con il modo/tempo opportuno.

● Ma è possibile che ogni volta che dobbiamo partire si (dovere) __________ litigare? Non sapevo che tu (avere) __________ la mania dei viaggi organizzati.

◆ Sai benissimo che quando non lavoro voglio riposare e credo che questo (essere) ________ il modo più comodo per rilassarsi.

● Secondo me invece (essere) __________ molto più divertente girare in camper e ritengo che così (esserci) ___________ molta più libertà.

◆ Sì, ma per me trovare tutto pronto e organizzato (essere) __________ il massimo. Non dover pensare a come riempire le ore è una gran fatica evitata.

● Ma dai, in vacanza l'importante è che si (vedere) __________ tante cose nuove e che si (potere) __________ girare in posti non turistici, no? Importante è anche (andare) __________ e (tornare) ___________ ogni giorno a qualsiasi ora senza dover rispettare gli orari dei tour organizzati. Pensavo che le ultime ferie ti (piacere) ________________. Ricordi che belle?

◆ Non parlarmi delle scorse vacanze! Sai benissimo che non abbiamo fatto altro che discutere! Credevo che te ne (ricordare) ______________ !

● Allora sai che ti dico? Se la pensi così temo proprio che il prossimo viaggio (essere) _________ meglio che io lo (fare) _________ da sola!

9

6 Completa con il connettivo adatto.

8

1. _________ di avere amici era disposto a tutto. — Pur / Senza
2. _________ andasse si faceva ben volere. — Chiunque / Ovunque
3. _________ non sia bella è irrilevante. — Il fatto che / Per
4. _________ altro non l'avrebbe sopportata. — Ogni / Chiunque
5. L'esame mi sembra di averlo fatto bene, _________ stiamo a vedere. — proprio / comunque
6. Che diversi! Lui è così egoista _________ lei è così generosa! — perché / mentre
7. Basta! _________ non soffrirò più per lei. — Quando / D'ora in poi
8. Non è molto flessibile, _________ è intollerante. — comunque / anzi

9

7 Completa con *prima che* o *prima di* e la forma verbale adeguata.

10

1. (lui – partire) ____________________ ho controllato i bagagli.
2. (io – partire) ____________________ ho controllato i bagagli.
3. (loro – uscire) ____________________ li abbiamo richiamati.
4. (noi – uscire) ____________________ li abbiamo richiamati.
5. (noi – dividersi) ____________________ eravamo una bella coppia.
6. (lui – dividerci) ____________________ eravamo una bella coppia.

Rifletti e completa la regola con *congiuntivo, di, infinito, che.*

Con un solo soggetto (io ... io) si usa *prima* _____ (+ __________),

con due soggetti diversi (io ... lui) *prima* _____ (+ __________).

8 In queste frasi è obbligatorio l'uso del congiuntivo. Sottolinea il tempo esatto. Attenzione: a volte vanno bene tutti e due!

1. È la più bella città in cui io sia / sia mai stato .
2. È la persona più cara che io conosca / abbia mai conosciuto .
3. Dovunque vada / andasse si trova bene.
4. Qualunque cosa faccia / abbia fatto , cerca di giustificarlo!
5. Non è che sia / fosse cattivo, semplicemente non riflette su quello che dice.
6. Il fatto che io esca / uscissi con lui non significava niente.
7. Comunque vadano / andassero le cose, sarai sempre un amico.
8. Era il solo che mi capisca / capisse davvero.
9. Era il libro più bello che legga / avessi mai letto .

9

9 14

Rosanna ha telefonato e ha lasciato per il mio coinquilino Luca un messaggio sulla segreteria telefonica. Purtroppo per sbaglio ho cancellato le sue parole che ora devo riferire a Luca. Completa il mio racconto.

Guarda che ti ha telefonato Rosanna e ha detto che ieri non (potere) _______________ venire perché il suo capo le ha detto che il giorno dopo (dovere) _______________ partire molto presto per Napoli, dove (tenere) _______________ un seminario. Siccome lei (essere) _________ sorpresa di una partenza così improvvisa, lui le ha spiegato che (sostituire) _______________ un collega che si era ammalato. Ha detto anche che (cercare) _______________ di richiamarti stamattina, ma che non ti (trovare) _______________ in ufficio e che comunque (provare) _______________ di nuovo dal treno.

10 Trasforma il discorso diretto in indiretto.

«Oggi ho deciso che il mio lavoro non mi piace più e non sono più disposta a resisterci più a lungo. Qui mi trovo malissimo. Questo posto non lo tollero più, perché nessuno è solidale con nessuno, perché ci sono colleghi invadenti e poca professionalità. Domani andrò a cercarmene un altro e fra 3-4 giorni spero di trovarlo. Spero anche che il prossimo lavoro sia più gratificante e lo stipendio migliore.»

Tempo fa avevo chiesto ad un'amica cosa pensasse del suo lavoro. Con la sua solita irruenza mi aveva risposto che ______________________

____

____

____

____

____

____

9

11 Parole in coppia. Trova le parole che a due a due vanno bene insieme.

1. la guerra
2. le scarpe
3. il vero
4. il voto
5. il lessico
6. il mezzo militare
7. la memoria
8. la bugia
9. il tema
10. il licenziamento
11. il dizionario
12. il posto di lavoro
13. il ricordo
14. il lucido

______________ + ______________

______________ + ______________

______________ + ______________

______________ + ______________

______________ + ______________

______________ + ______________

______________ + ______________

12 Il nuovo amore di Federica. Leggi.

Cara Carla,
sai che ho conosciuto un ragazzo fantastico? È bellissimo, elegante, intelligente, il classico principe azzurro. Credo proprio che questo sia l'uomo ideale per me. È capitato che l'altro giorno c'era lo sciopero dei trasporti e ho dovuto fare a piedi tutta la strada fino alla posta. Naturalmente correvo perché c'era poco tempo prima della chiusura dell'ufficio. All'angolo con la Coop gli sono andata a sbattere contro e, chiedendo scusa prima di vedere chi fosse, ho alzato gli occhi. Mamma mia! Pensavo che i colpi di fulmine non esistessero, invece ... Ieri non c'era lo sciopero, però ho rifatto a piedi la stessa strada, ma questa volta molto lentamente ... Al terzo giro, quando ero ormai stanca, l'ho rincontrato, l'ho guardato e ... lui mi ha invitato a bere un drink al bar dell'angolo con la Coop! Questa sera andremo insieme a passeggiare sul lungomare e fra due giorni mi farà conoscere i suoi. Penso che se potesse mi sposerebbe subito! Il mio sogno è che rimanga così com'è per sempre: vorrei che fosse sempre così affettuoso e galante. No, per favore, non dirmi che mi sto sbagliando anche questa volta. E poi assomiglia a Brad Pitt. Vuoi vedere una sua foto? Te la spedisco assieme a questa lettera. Se passi in città la prossima settimana vieni qua che ti racconto le ultime novità.

Bacio

Tua Federica

Dopo un anno Carla incontra una conoscente che le racconta che adesso Federica vive da sola a Milano. Cosa le dice?

Non svolgere l'attività in modo meccanico e pensa che a volte, per rendere la cosa più chiara, nel discorso indiretto devono essere aggiunti dei verbi (es. *e ha aggiunto che*), pronomi e/o congiunzioni che non appaiono nel discorso diretto. E che a volte succede il contrario: alcuni elementi del discorso diretto scompaiono in quello indiretto.

Davvero? Ah, non si è sposata? Strano perché Federica lo scorso anno mi aveva scritto **che aveva conosciuto/di aver conosciuto**

9

Italia da scoprire

1 Geografia d'Italia.
Se completerai lo schema in modo esatto, nella prima colonna verticale a sinistra uscirà il nome di una regione italiana e nelle caselle scure quello del suo capoluogo.

1

1								
2	S		O					
3	R	A						
4		B	I					
5			E	N	N			
6	M	O						
7	D						C	O

10

1. È famoso quello di Garda.
2. Per grandezza è il quarto lago italiano.
3. È una bella cittadina della Venezia Giulia. Il suo nome è anche l'unità di misura della temperatura.
4. Questa città delle Marche, sede di un'università per stranieri, fu la patria di Raffaello.
5. Provincia dell'Emilia, questa città è ricchissima di splendide basiliche, come S. Apollinare in Classe. Qui morì Dante.
6. Città dell'Emilia - Romagna, sede di un famoso autodromo per gare di Formula 1.
7. È uno dei mari che bagna l'Italia. Bagna, fra le altre città, Trieste, Ancona e Taranto.

Soluzione:

_ _ _ _ _ _ è il capoluogo della _ _ _ _ _ _ _ .

2 Completa con una preposizione o un articolo + *cui* (o con tutti e due).

2

1. L'Italia, _________ coste sono bagnate da tre lati dal mare, è una penisola.
2. La Società di navigazione, _________ battelli partono da Pella, si chiama *lago d'Orta*.
3. Nico's, un negozio _________ si possono ammirare interessanti pezzi d'antiquariato, è al centro del paese.
4. In Via Olina c'è un negozio _________ non ricordo il nome.
5. Mio figlio, _________ comportamento comincia a preoccuparmi, frequenta compagnie che non mi piacciono.
6. Mi è capitata fra le mani la rivista *Nature*, _________ articoli si parla spesso di preoccupanti cambiamenti climatici.
7. Devo proprio ringraziare gli amici, _________ aiuto non avrei potuto arrangiarmi.

10

3 Sottolinea le frasi in cui *andare* può essere sostituito con un passivo, come nell'esempio.

1. Le auto vanno lasciate nei parcheggi. devono essere lasciate
2. La questione andrà discussa in seguito.
   ____
3. La casa è andata distrutta.
   ____
4. Il suo comportamento andava corretto prima.
   ____
5. La lettera è andata persa.
   ____
6. I tuoi colleghi andrebbero invitati!
   ____

4 Completa con il passivo di *essere* o *andare*.

Per arrivare a Orta (prendere) ______________ l'autostrada A 8 dei Laghi, uscita Arona. Per evitare problemi a chi non la conosce, (dire) ______ subito __________ che il centro della cittadina è costituito da una zona pedonale; quindi è logico che le macchine non possano (utilizzare) __________________ e (lasciare) _______________ nei parcheggi fuori dell'abitato. A Orta c'è molto da vedere. Il Palazzo più interessante, che (affrescare) _________________ nel '500, è quello della Comunità, mentre la Scalinata della Motta, che (costeggiare) ________________ da begli edifici, costituisce la parte superiore della città su cui si può ammirare la Chiesa di Santa Maria Assunta. Belli anche i negozi. Non può mancare una visita a *Scriptorius* e a *Penelope* che (fare) _____ assolutamente _________ se amate i libri antichi e i tessuti artigianali. Nella zona intorno al lago si possono poi fare diverse attività sportive, tra cui lunghe gite in bicicletta (le informazioni sul noleggio (fornire) _______________ dallo 0322/ 967415). Amate camminare? Molte sono le opportunità che vi (offrire) _______________ . Ma la passeggiata che non (evitare) _____ davvero ___________ è quella che porta al colle della torre di Bucciona.

5 La storia del …

6 Qual è il nome di questa specialità? Completa le parole e avrai la risposta.

Nel periodo rinascimentale, in O C C _ _ _ O N _ delle festività, esisteva fra le monache di clausura del _ _ _ V E N T O *Corpus Domini* di Ferrara, la tradizione di P R E ■ _ R A _ _ uno S Q _ _ _ I T _ dolce da inviare in omaggio agli alti prelati.
Un delizioso I M _ ■ _ T _ di M A ■ D _ _ _ _ , N O C _ _ _ _ _ , canditi, buccia d'arancia e cacao, di forma T O _ D _ , a calotta, che voleva somigliare al copricapo T _ ■ I C O degli ecclesiastici. Chiamato **X** proprio per significare «pane del Papa», ■ R A molto A P ■ _ E Z Z ■ T O alla corte degli Estensi, dove non si perdeva occasione per G U S ■ _ _ _ il suo incredibile _ A P ■ R E , che lo ha portato a diventare «Il Dolce Tipico di Ferrara».

Soluzione: ■ ■ ■ ■ ■ ■ ■ ■ ■

10

6 A ogni verbo il suo sostantivo.

affrescare ______________
aromatizzare ______________
cambiare ______________
costeggiare ______________
depositare ______________
essiccare ______________
formulare ______________
mantenere ______________
noleggiare ______________
pagare ______________
percorrere ______________

un fiume | una barca | i bagagli | un cibo | la carne | sede | una multa | un tragitto | una chiesa | un segreto | una domanda

7 Completa con le seguenti parole.

8

ambiente	costa	dispetto	fauna	flora	meglio
minacciato	paradiso	ruspe	tunnel	villaggio	

Le ___________ erano pronte. Avrebbero bucato la montagna, creato un ___________ e gettato cemento sulla roccia per far passare una strada. Per finire il lavoro era rimasta solo una collina da espropriare*, della nobildonna Fiamma Pintacuda. Anche lei, grazie alla strada, avrebbe potuto edificare e speculare.
Un ___________ turistico sul mare, ville principesche e una veloce via di comunicazione che avrebbe permesso di raggiungere comodamente l'ultimo ___________. Questo era il progetto, ma Fiamma Pintacuda si è fermata a riflettere e a discutere con i due figli. Erano loro che dovevano decidere se rinunciare a un sacco di miliardi per salvare la collina di Scario. Il cuore ha avuto la ___________ sui soldi e i Pintacuda hanno deciso di ricorrere a un trucco per non far realizzare la strada: hanno regalato la collina al FAI, il Fondo italiano per l'___________, che è un'associazione morale i cui beni sono inespropriabili. Così, a ___________ dei lavori iniziati, le ruspe si sono fermate e Scario, al confine fra Campania e Basilicata, su un tratto di ___________ unico in Italia per bellezza e ricchezza di ___________ e ___________, prima ___________ e poi salvato.

* espropriare = togliere a qualcuno ciò che possiede. In genere sono lo Stato, la Provincia, il Comune o simili che possono espropriare.

10

8 Abbina le frasi e completa con la desinenza. Se gli abbinamenti saranno esatti, le lettere di destra, lette consecutivamente, daranno un altro nome per *il Belpaese*.

1. È meglio non guidare se	si è ricc___ è meglio.	E
2. Non si mangia mai carne se	si è troppo conosciut___.	L
3. Si odia il caos se	si è motivat___.	A
4. Si ha molto tempo davanti a sé se	si è vegetarian___.	T
5. Si fanno grandi cose se	si è brill___.	S
6. Non si ha privacy se	si è ordinat___.	I
7. I soldi non danno la felicità, ma se	si è giovan___.	V

Soluzione: L'Italia viene chiamata, per la sua tipica forma, anche lo ___ ___ ___ ___ ___ ___ ___.

10

9 Scegli il verbo opportuno e completa la desinenza.

● Ho sentito che al party si è / sono bevut___ un po' troppo, eh? Lo sai che non mi piace!

◆ Beh, intanto non è vero. Si è / sono bevut___ solo tre bottiglie di vino, ma si è / sono mangiat___ dieci pizze! E poi si è / sono giovan___ una sola volta!

● La verità è che alla vostra età non si è / sono mai content___. Prima vi bastava incontrarvi, mangiare qualcosa insieme, chiacchierare. Bisogna essere onest___ con se stessi!

◆ D'accordo, ma guarda che non abbiamo fatto niente di male e che se voi adulti la pensate sempre così, è logico che poi ci si senta / sentano incompres___!

10 Completa la desinenza degli aggettivi.

Il *Touring* è il mensile di turismo più diffus___ in Italia. Non molto tempo fa ha pubblicato un articolo su Mattinata, un piccol___ paese della Puglia. Ecco come ne parla.
La stagione ideal__ per visitare questo bell___ angolo del Gargano, a 160 km da Bari, è la primavera (con l'autunno), perché in questo periodo si sta tranquill___ e lontan___ dalle rumoros___ folle dell'estate, le spiagge sono desert___ e sui prati dell'entroterra fioriscono le orchidee. I colori poi sono meno violent___. Ma lì non c'è solo una natura stupend___ e incontaminat___; percorrendo il sentiero che sale al monte Saraceno, si arriva alle necropoli, le antiche tombe dove 5.000 anni fa i Dauni seppellivano i loro morti. Antic___ resti sono conservati nel museo del paese.
L'ultim___ sorpresa è offerta dalle specialità culinari___: mozzarelle artigianal___ e caciocavalli*, un olio di ottim___ qualità, il gelato al fico d'India e un pesce freschissim___.

*il caciocavallo = formaggio tipico dell'Italia meridionale, preparato con latte intero di mucca, duro e a forma allungata

11 Sottolinea il connettivo esatto. A volte vanno bene tutti e due.

1. Non capisco perché / affinché arriviate sempre in ritardo.
2. Lavoro duramente perché / affinché i miei figli abbiano un futuro migliore del mio.
3. Non so perché / affinché sia sempre arrabbiato con me.
4. Bisogna fare di tutto perché / affinché quel paradiso venga preservato.
5. Ti consiglio di prendere una guida, perché / affinché da solo non è facile visitare la città.
6. Forse è stato licenziato, perché / affinché ha cambiato di nuovo sede.
7. Mi piace perché / affinché sa mantenere i segreti.

12 Con questo libro hai esercitato grammatica e lessico di *Espresso 3*, ma hai anche appreso diverse notizie di geografia e cultura italiane. Le ricordi? Segna le definizioni esatte. Se queste saranno corrette le lettere dei riquadri daranno un augurio con cui termina il nostro (e il tuo) lavoro.

1. Lo Stivale è	☐ l'ultimo modello di scarpe della Geox.	E R
	☐ un altro nome per Belpaese.	S I
2. Il capoluogo della Sicilia è	☐ Palermo.	A S
	☐ Siracusa.	N I
3. È vicina alle isole Egadi.	☐ Catania	B O R
	☐ Trapani	T A T
4. Il Lodigiano è una zona della	☐ Lombardia.	O U
	☐ Liguria.	R A
5. La casa più ecologica d'Italia si trova in	☐ Toscana.	N I
	☐ Alto Adige.	T I
6. L'autostrada del Brennero è nei pressi di	☐ Bolzano.	L E
	☐ Milano.	E O
7. L'isola di Favignana si trova nelle	☐ Eolie.	R A S
	☐ Egadi.	E D I
8. Il capoluogo della Liguria è	☐ Genova.	V E R
	☐ Torino.	S T O
9. Mattinata è un bel paese della	☐ Puglia.	T E N
	☐ Basilicata.	N C I
10. Il Panpepato è un tipo di	☐ pane.	C O
	☐ dolce.	T E

Soluzione:

Speriamo proprio che questo libro ___ ___ ___   ___ ___ ___ ___ ___

___ ___ ___ ___ ___   ___   ___ ___ ___ ___ ___ ___ ___ ___ ___ ___.

Soluzioni

Lezione 1

1. 1. f (trasferirsi); 2. d (prendere); 3. e (tornare); 4. c (esprimere); 5. a (fare il confronto); 6. b (uscire)

2. 2. È da molto tempo che non lo vedo. 3. Sono almeno 5 anni che traduciamo dal francese. 4. È un'ora che chiacchiera senza fermarsi. 5. Sono anni che esprimi il tuo parere senza ascoltare il mio. 6. Sono due ore che stanno facendo esercizi di italiano.

3. 1. (abbiamo) messo; 2. metterò; 3. metterci; 4. ci ha messo; 5. mettersi; 6. si metta / metterà

4. 1. Avevo ... seguito; 2. era ... iniziato / cominciato; 3. si era ... arrangiata; 4. avevamo ... parlato; 5. era ... cominciata / iniziata; 6. erano ... state

5. andavamo, abbiamo trovata; ci siamo fermati; conosciamo, avevamo ... visitato; resta; c'era, abbiamo deciso; avete fatto, avete evitato; Siamo entrati, avevamo potuto, era; C'era, abbiamo trascorso

6. stava, si è accorta, ha chiamato; era entrato, è, suppone / ha supposto; hanno interrogato, hanno potuto, avevano ... detto; Erano, stavamo; erano ... usciti, abbiamo sentito; si trova, è, avrà

7. 2. Siate aperti nei confronti di qualsiasi nuovo modo di imparare. 3. Non abbiate paura degli errori. Qualsiasi principiante li fa. 4. Qualsiasi lingua straniera è utile. 5. Osservate con soddisfazione qualsiasi vostro progresso. 6. Cercate di trovare qualsiasi opportunità per comunicare per iscritto.

8. *Da sottolineare:* frasi 1; 3; 4; 6; 7

9. 1. e (te le); 2. g (glieli); 3. b (me la); 4. c (te li); 5. a (te l'); 6. d (te ne); 7. f (ve l')

10. 1. gliela; 2. Te lo; 3. glielo; 4. Te / Ve ne; 5. me ne; 6. Ve l'

11. -ti, ti, l'; me l', me ne, me l', le, -le; Mi, -melo; -ti, mi, -le; ti, -le

12. trovo; D'accordo; Perché, scusa; non sembra; Lasciamo perdere

13. *Da sottolineare:* imprevisto (≠ previsto); indipendente (≠ dipendente); indeciso (≠ deciso); incompleto (≠ completo); irregolare (≠ regolare); irrisoluto (≠ risoluto)

14. 1. degli splendidi fiori; 2. la lampada da comodino; 3. di cattivo gusto; 4. acquisti; 5. congelatore; 6. in una fattoria; 7. nell'autorimessa; 8. giramondo
Soluzione: ESTEROFILIA

Lezione 2

1. ❶↓ turistica; ❷→ capoluogo; ❸→ portuale; ❹↓ arabo; ❺→ nebbia; ❻→ isola; ❼→ media
Soluzione: PALERMO

2. 1. avrei dovuto; 2. avremmo potuto; 3. saresti potuto/-a; 4. avrebbero dovuto; 5. avreste dovuto; 6. avrebbe preferito

3. avrei dovuto, avrei avuto; saremmo andati, avremmo visto; avrei investito; avrei pensato, avrebbe messo, avrei usato; sarei comprata, avrei regalato; avrei guadagnato

4. 1. g; 2. d; 3. b; 4. e; 5. h; 6. a; 7. c; 8. f

5. *Da sottolineare:* fu (essere); arrivò (arrivare); conquistarono (conquistare), fecero (fare), guidarono (guidare); mise (mettere), dipese (dipendere)
Soluzione: **X** è la città di Trapani.

6. abbiamo passato; È stata; è nevicato, abbiamo dovuto; Abbiamo fatto, abbiamo (mai) avuto; abbiamo mangiato, abbiamo bevuto

7. 1. tua; 2. vostri; 3. suo; 4. Suo; 5. tuoi; 6. mia; 7. tuoi, tuo; 8. nostri

8. 1. la tua; 2. La sua; 3. i tuoi; 4. nel loro; 5. Il vostro; 6. il tuo

9. 1. la mia, la tua; 2. i tuoi; 3. il mio; 4. La nostra; 5. i Suoi; 6. Sua; 7. vostre; 8. le mie

10. 1. a, e; 2. b, d; 3. c, f – Soluzione: TRANSITO

11. Lombardia; Milano; desiderio; città; noiosa; concerto; natura; coltello; giorno; paese; scelta; capitare

Lezione 3

1. 1. padella; 2. trenino; 3. posate; 4. occhiali; 5. tasca; 6. pettine; 7. frullatore; 8. vaso; 9. rasoio; 10. pallone
   Soluzione: PENTOLA A PRESSIONE

2. 1. utile; 2. ovale; 3. pesante; 4. ingombrante; 5. indispensabili; 6. pericolosi

3. 1. si trasferisca, abbia cambiato; 2. usino, siano andati/-e; 3. sia ... stata, sia; 4. abbiano, abbiano avuta; 5. sia costata, costi

4. si fidano, sono, sia, sia; preferiscono; succeda, ho; è andato, ha comprato/ha visto, abbia visto/abbia comprato, sia costato, ha utilizzato; ha comprato, abbia speso, è rimasta

5. 1. macchina/auto(mobile); 2. occasione; 3. aria; 4. storie; 5. voglia/intenzione; 6. colore; 7. patrimonio

6. 3. guardare; 4. Abbiamo mangiato; 6. fumare; 8. bevo

7. 1. e; 2. a; 3. b; 4. f; 5. c; 6. d

8. cortissima, rasati; nostra, tecnologico; blindata, vecchio, modernissimo, vocale; satellitare, indispensabile

9. ripresentato; riesaminare, riascoltato, ha riletto; riveder-, ha richiamato, rispiegar-

10. 1. si sarà laureata; 2. avranno finito; 3. avrò pagato; 4. sarete alzati/-e; 5. saranno partiti; 6. avrete fatto
(solo) dopo che, quando, appena

11. andrete; farete; andremo; attraverseremo, avremo vista, avremo visitato, passeremo; faremo, prenderemo, cammineremo, sarà passata, dovrò, aspetterà; sarò tornata, partirai

12. 1. PE; 2. RF; 3. OR; 4. Z; 5. A; 6. PER FORZA

13. 1. Sua colpa; 2. miei/nostri affari, affari vostri; 3. casa mia, nostra casa; 4. parte nostra, nostra parte; 5. mio conto, conto loro; 6. vita sua, sua vita; 7. Mamma mia, mia mamma

Lezione 4

1. 1. Perciò non so a che ora arrivo. 2. Ti amo sempre di più. 3. Sei d'accordo? 4. Che fai domani? 5. La prossima volta non ritardare. 6. Comunque ti richiamo dopo.

2. 1. (...) l'indirizzo di posta elettronica di Giovanna. Me lo rimandi? 2. (...) mi permetto di presentare domanda per l'impiego in questione. 3. (...) È da troppo che non ci vediamo, non ti pare? 4. (...) davanti bar Roma. 5. (...) ne dici di trovarci stasera? 6. (...) avevo chiamato per chiederti se venivi con me a una mostra. Ma non ci sei mai. Beh, fatti sentire tu.

3. 1. preoccupata; 2. mistero; 3. richiamerà; 4. timore; 5. meraviglia; 6. scambiarci; 7. cellulare; 8. e-mail; 9. messaggio
Soluzione: Piero è andato in PORTOGALLO.

4. 1. bastava; 2. basta; 3. Basterà; 4. È bastato; 5. basti

5. dava, fumasse, fosse, volesse; Credeva, capisse, aveva, fossero; era, fosse, aspettava, regalasse; Temeva, avesse, sapeva, era

6. 1. stesse; 2. sia; 3. ha ... firmato; 4. lasciate; 5. si abituino; 6. si amassero, si sono lasciati; 7. abbia

7. 1. c; 2. e; 3. d; 4. b; 5. f; 6. a
   Soluzione: PER FORTUNA!

8. 1. con; 2. per; 3. a; 4. in; 5. Per; 6. alla; 7. a; 8. in

9. fossi; fosse; avessimo; facessi

10. suoi, la trattano, tornano, spendono, lei; Suo, sua (di lei), si comporteranno

11. 4, 2, 1, 5, 3

12. 1. è, le dispiace, finisca; 2. gli dispiace, sia, sua, si annoia; 3. ha, suo, le, comprarsi; 4. si farà; 5. capisce

13. 2. gridare (= urlare); 3. avvenire (= succedere);
    4. citare (= nominare); 5. amare (≠ odiare);
    6. contento (≠ arrabbiato); 7. inutile (≠ necessario);
    8. per fortuna (= meno male); 9. MITTENTE (≠ destinatario)

Lezione 5

1.

C	A	M	E	R	A	O	P	E	R	A	T	O	R	I	A
P	E	R	I	O	A	M	B	U	L	A	N	Z	A	G	S
O	D	I	C	M	C	H	I	R	U	R	G	O	U	I	A
O	E'	P	S	A	L	O	T	T	O	U	B	B	T	A	G
R	E	C	E	N	S	I	O	N	E	L	I	C	O	L	G
P	O	L	I	Z	I	O	T	T	O	A	Z	I	R	L	I
O	N	Q	U	O	T	I	D	I	A	N	O	E	E	O	O

Soluzione: Il PERIODICO È una PUBBLICAZIONE (...)

mezzi di trasporto: l'ambulanza; letture: la recensione, il quotidiano, il romanzo, il giallo, il saggio; persone: il chirurgo, il poliziotto, l'autore; luoghi: la camera operatoria, il salotto

2. 1. blocchi; 2. potesse; 3. cada; 4. vengano; 5. avesse

3. (bello) un thriller impeccabile; uno spettacolo avvincente; una ragazza attraente; un pensiero positivo; (grande) un'invenzione importante; un romanzo lungo; una zona ampia; una montagna alta; (buono) delle maniere gentili; dei soldi validi; un affare vantaggioso; un passo veloce

4. 1. abbia mai ricevuto; 2. abbia mai conosciuto; 3. abbia mai indossato; 4. abbiamo mai sentito; 5. abbiano mai avuto

5. 1. avessero, ricchi; 2. fosse, motociclista; 3. stesse, male; 4. fossero, esatti / giusti / corretti; 5. rimaneste, siete andati / -e; 6. ammettessi, niente; 7. facessi / arrivassi, presto; 8. si assumesse, mai; 9. trovasse

6. abitare, abitante (a); aderire, aderente; amare, l'amante (m. + f.), amante (di); assistere, l'assistente (m. + f.); cantare, il / la cantante; convivere, il / la convivente; dipendere, il / la dipendente, dipendente (da); divertir(si), divertente; emozionare, emozionante; equivalere, l'equivalente (m.), equivalente (a); importare, importante; insegnare, l'insegnante (m. + f.); interessare, interessante; partecipare, il / la partecipante, partecipante (a)

   I verbi in *-are* formano il participio presente in *-ante*, es.: abitante.
   I verbi in *-ere* formano il participio presente in *-ente*, es.: assistente.
   I verbi in *-ire* formano il participio presente in *-ente*, es.: aderente oppure in *-iente*, es.: conveniente.
   Il participio presente può essere sia un sostantivo che un *aggettivo*.

7. la scoperta; la stazione di benzina; il sito; il travestimento; la copertina; il traffico; lo scenario; l'identificazione; l'esperimento; il continente; la sorpresa, lo scompenso; i romanzi; il trucco; il lettore; l'esercito; la scintilla; la raccolta; l'autore; l'attesa

8. (1) sono state raccolte; (2) è stato pubblicato;
   (3) saranno / verranno riportati; (4) è stata fermata

9. sono / vengono descritte, è / viene offerta; sono state individuate; è stata istituita; sono state trasformate; sono state costruite, sono / vengono descritte; saranno / verranno apprezzate

10. 1. fiaba; 2. scoperte; 3. sciopero; 4. guerra; 5. incantesimo; 6. esercito; 7. chirurgo; 8. prigione
    Soluzione: Vedere il sole A SCACCHI.

11. c'è da aver paura; c'è ... da ridere; c'è da perdere; c'è ... da fidarsi

12. 1. b; 2. d; 3. g; 4. e; 5. f.; 6. a; 7. c

Lezione 6

1. ❶ ↓ separazione; ❷ ↓ propenso; ❸ → altro; ❹ → volta; ❺ → vergogna; ❻ → sbagli; ❼ → azzuffarsi; ❽ → divorzio

2. 1. che non si può sostituire; 2. non si poteva riconoscere; 3. che non si è potuta/ non si poteva curare; 4. che non si poteva evitare; 5. si potrà pagare; 6. non si potevano separare; 7. (e) che si può proporre ai colleghi
   Il suffisso *-bile* indica una possibilità.

3. maggiori; minore; minimo; migliore; maggiore; meno; massimo; pessima

4. 1. il miglior; 2. peggiore, il peggiore; 3. meglio; 4. ottimo, il migliore; 5. la peggior

5. 1.V; 2. V; 3. V; 4. F; 5. F; 6. V

6. 1. Malgrado non studino troppo, si arrangiano. 2. Sebbene non abbiano più molta energia, stanno dietro ai nipotini. 3. Anche se gli adulti li caricano di impegni, a volte i bambini trovano il tempo di annoiarsi. 4. Nonostante le condizioni del tempo siano preoccupanti, gli aerei partono. 5. Anche se si sono separati, sono rimasti buoni amici. 6. Malgrado piova a dirotto, abbiamo deciso di uscire.

7. 1. Ci si alza; 2. ci si preoccupa; 3. Ci si lava; 4. ci si deve; 5. ci si separa; 6. ci si incontra, ci si bacia

8. si studia, ci si stanca; ci si può, si fa, si riacquistano; ci si diverte, ci si dovrebbe
   La forma impersonale *ci si* viene usata con i verbi *riflessivi*, anche se accompagnati da un verbo modale (come *potere* o *dovere*). Dopo *ci si* il verbo è sempre nella 3ª persona *singolare*.

9. 1. brillo; 2. soprannome; 3. permanenza; 4. volontà; 5. pianeta; 6. individualismo; 7. espressione

10. negare; Eppure; almeno; proprio; segreto; nulla; anzi; comunque; velocissimo

11. 1. Facendo; 2. Conducendo; 3. Dicendo; 4. Traducendo; 5. Bevendo; 6. ponendo

12. *Pur* (non) *studiando* significa *anche se* (non) *studio/studi...* .

13. *apparecchiare:* la tavola, male; *cambiare:* faccia, i mobili, i piatti, i vetri, il bagno, l'aspirapolvere, un ruolo; *distogliere:* gli occhi; *fare:* i piatti, il nonno, un salto; *farsi:* male; *giocare:* un ruolo; *lavare*: i piatti, male; *passare:* l'aspirapolvere; *pulire:* i vetri, il bagno, male; *spolverare:* i mobili, male

Lezione 7

1. 1. F; 2. fa; 3. Fra; 4. fata; 5. fiori; 6. fabbro; 7. forbici; 8. faccende; 9. fornitore; 10. ferragosto; 11. festicciole

2. 2. Magari potessi rientrare dopo mezzanotte! 3. Magari mi dessero più soldi! 4. Magari non si lamentassero di come mi vesto! 5. Magari non dovessi fare i lavori di casa! 6. Magari avessi (più) tempo per me!

3. 1. Mica sei obbligato a mangiare tutto! 2. Mica dovete fare scherzi per forza. 3. Mica è giusto che pensi solo a se stesso. 4. Non sono stato mica io a farlo. 5. Non ci deve mica andare per forza.

4. 1. avrebbe fatto; 2. sarebbe andata; 3. sarei ... arrivato/-a; 4. si sarebbe ... mascherato/-a; 5. avrebbe lavato; 6. ci avrebbe tenuto

5. avrebbe fatto; ci tiene; mi dimenticassi; mi mascherassi/ci mascherassimo; aspettassi/aspettassimo; avremmo giocato; possa

6. regalo; figuraccia; sottoscritto; giorno; pacco; cravatta; volta; dovere; circostanza; tempo; lettore; casa

7. 1. se ne; 2. se li; 3. se le; 4. se la; 5. se lo

8. 1. Vedendolo; 2. dimostrandomi; 3. privandosene; 4. dandomele; 5. mettendosela; 6. rimanendoci; 7. distinguendole

9. 1. Lavorando; 2. fermando; 3. guardandolo; 4. piangendo; 5. non rispettando; 6. Fermandola e chiedendole; 7. giustificandosi; 8. scrivendolo; 9. offrendolo; 10. Guadagnando
   I pronomi personali *seguono* sempre il gerundio.

10. 1. Se quel vestito fosse meno caro/economico, lo comprerei.
    2. Se questi mobili fossero moderni, mi piacerebbero.
    3. Se tu fossi una persona tranquilla/silenziosa, ti sopporterei.
    4. Se fosse una lingua facile la studieremmo.
    5. Se in montagna facesse caldo ci andreste.

11. tornassi, permetteremmo; spendessi, darei, sarebbe; lamenteremmo, fossero; facessi, avresti

Lezione 8

1. 1. e; 2. g; 3. f; 4. c; 5. a; 6. b; 7. h; 8. d
   Soluzione: Avere IL POLLICE VERDE ...

2. 1. Dopo aver cercato; 2. Prima di mettermi; 3. Prima di partire; 4. Dopo aver capito; 5. Dopo aver visto; 6. Dopo esser stati

3. 1. Dopo che ... ha/aveva preso; 2. Dopo aver cambiato; 3. Dopo aver fatto; 4. Dopo esser arrivati/-e; 5. Dopo che .... (se ne) sono andati
   Dopo che si usa quando nelle due frasi ci sono soggetti diversi, *dopo* quando c'è identità di soggetto.

4. Dopo; Allora; alla fine, così; mentre; Quando; poi, senza, per

5. 1. d. Essendosi sciolta; 2. a. Avendo sbagliato; 3. e. Avendo buttato; 4. b. Essendogli venuta; 5. c. Essendo stato abituato

6. 1. Avendo speso; 2. ricordando; 3. avendo capito; 4. Sapendo; 5. Essendogli caduto; 6. Essendo arrivate; 7. Essendo

7. 1. Paolo; 2. Francesco; 3. Alberto; 4. Sandra; 5. Anna

8. 1. fosse rimasta ... si sarebbe scottata; 2. avessimo pensato ... avremmo avuto; 3. avessi comprato ... avresti potuto; 4. avesse mangiato ... sarebbe venuto; 5. avessero preso ... sarebbero guariti/-e

9. 1. abbiano preso; 2. stia; 3. abbiano avuto; 4. abbia consultato; 5. siano; 6. sia già finito

11. 1. c; 2. a; 3. c; 4. b; 5. b; 6. a; 7. b; 8. a; 9. b; 10. c

Lezione 9

1. disponibilità, ottimismo, sincerità, generosità, sensibilità; egoismo, pessimismo, ipocrisia, avarizia, superficialità
   Soluzione: DIMMI CON (...)

2. 4; 2; 5; 3; 1

3. finisse; dicesse; prendesse; dessero; alzassero; chiedessero

4. 1. abbia fatto, faccia; 2. finisse; 3. abbia; 4. avessi messo, indossassi; 5. servisse, aveste ... letto; 6. fosse ... tornato, stesse

5. debba, avessi; sia; è, ci sia; è; vedano, possa, andare, tornare, fossero piaciute; ricordassi; sia/sarà, faccia

6. 1. Pur; 2. Ovunque; 3. Il fatto che; 4. Chiunque; 5. comunque; 6. mentre; 7. D'ora in poi; 8. anzi

7. 1. Prima che partisse; 2. Prima di partire; 3. Prima che uscissero; 4. Prima di uscire; 5. Prima di dividerci; 6. Prima che ci dividesse. Con un solo soggetto si usa *prima di (+ infinito)*, con due soggetti diversi *prima che (+ congiuntivo)*.

8. 1. sia mai stato; 2. conosca/abbia mai conosciuto; 3. vada; 4. faccia/abbia fatto; 5. sia; 6. uscissi, 7. vadano; 8. capisse; 9. avessi mai letto

9. è potuta, sarebbe dovuta, avrebbe tenuto; era, avrebbe sostituito; aveva cercato, aveva trovato, avrebbe provato

10. (...) quel giorno aveva deciso che il suo lavoro non le piaceva più e che non era più disposta a resisterci più a lungo e che lì si trovava malissimo. Che quel posto non lo tollerava più, perché nessuno era solidale con nessuno, perché c'erano colleghi invadenti e poca professionalità. Che il giorno dopo sarebbe andata a cercarsene un altro e che sperava di trovarlo dopo 3-4 giorni. Sperava anche che il lavoro seguente fosse più gratificante e lo stipendio migliore.

11. 1 + 6; 2 + 14; 3 + 8; 4 + 9; 5 + 11; 7 + 13; 10 + 12

12. (...) un ragazzo fantastico. Scriveva / Mi aveva scritto che era bellissimo, elegante, intelligente, il classico principe azzurro e che credeva proprio che quello fosse l'uomo ideale per lei. Mi aveva raccontato / spiegato che era capitato che qualche giorno prima c'era lo sciopero dei trasporti, che (lei) aveva dovuto fare a piedi tutta la strada fino alla posta e che naturalmente correva perché c'era poco tempo prima della chiusura dell'ufficio. All'angolo con la Coop gli era andata a sbattere contro e, chiedendo scusa prima di vedere chi fosse, aveva alzato gli occhi. Aveva aggiunto/Mi aveva scritto che pensava / di pensare che i colpi di fulmine non esistessero (ma aveva dovuto cambiare idea / da quel giorno si era convinta del contrario). Mi aveva raccontato che il giorno prima non c'era lo sciopero, che però aveva rifatto a piedi la stessa strada, ma quella volta molto lentamente. Al terzo giro, quando era ormai stanca, l'aveva rincontrato, l'aveva guardato e lui l'aveva invitata a bere un

drink al bar dell'angolo con la Coop! Quella sera sarebbero andati insieme a passeggiare sul lungomare e dopo due giorni (lui) le avrebbe fatto conoscere i suoi. Lei pensava che, se avesse potuto, lui l'avrebbe sposata subito e il suo sogno era che lui rimanesse così com'era per sempre: avrebbe voluto che lui fosse sempre così affettuoso e galante. Mi aveva pregato di non dirle / che non le dicessi che si stava sbagliando anche quella volta. Poi mi aveva scritto anche che lui assomigliava a Brad Pitt e mi aveva chiesto se volessi / volevo vedere una sua foto, che me la spediva assieme alla lettera / a quella lettera. (Infine) mi aveva pregato di andare/che andassi lì (da lei), se la settimana seguente passavo / fossi passata in città, che mi raccontava / avrebbe raccontato le ultime novità.

Lezione 10

1. 1. lago; 2. Iseo; 3. Grado; 4. Urbino; 5. Ravenna; 6. Imola; 7. Adriatico – Soluzione: GENOVA è il capoluogo della LIGURIA

2. 1. le cui; 2. i cui; 3. in cui; 4. di cui; 5. il cui; 6. nei cui; 7. senza il cui

3. 2. dovrà essere discussa; 4. doveva essere corretto; 6. dovrebbero essere invitati

4. va presa; va ... detto, essere utilizzate, vadano lasciate; è stato affrescato, è costeggiata; va ... fatta; sono fornite; sono offerte; va ... evitata

5. occasione, convento, preparare, squisito; impasto, mandorle, nocciole, tonda, tipico; era, apprezzato, gustare, sapore Soluzione: PANPEPATO

6. affrescare una chiesa; aromatizzare un cibo; cambiare sede; costeggiare un fiume; depositare i bagagli; essiccare la carne; formulare una domanda; mantenere un segreto; noleggiare una barca; pagare una multa; percorrere un tragitto

7. ruspe; tunnel; villaggio; paradiso; meglio; ambiente; dispetto, costa; flora (fauna); fauna (flora); minacciato

8. 1. si è brilli; 2. si è vegetariani; 3. si è ordinati; 4. si è giovani; 5. si è motivati; 6. si è ... conosciuti; 7. si è ricchi
   Soluzione: lo STIVALE

9. è bevuto; sono bevute, sono mangiate, è giovani; è mai contenti, onesti; senta incompresi

10. diffuso; piccolo; ideale, bell', tranquilli, lontani, rumorose, deserte; violenti; stupenda, incontaminata; Antichi; ultima, culinarie, artigianali, ottima, freschissimo

11. 1. perché; 2. perché/affinché; 3. perché; 4. perché/affinché; 5. perché; 6. perché; 7. perché

12. Soluzione: (...) SIA STATO UTILE E DIVERTENTE.

Alma Edizioni
Italiano per stranieri

I pronomi italiani è un libro che unisce la chiarezza e la sistematicità della grammatica con l'utilità pratica dell'eserciziario.

Più di cento esercizi, giochi, attività e decine di schede per spiegare l'uso dei pronomi nella lingua italiana.

Per studenti di livello elementare, intermedio e avanzato.
Sono incluse le soluzioni.

Le preposizioni italiane è un eserciziario facile e completo, interamente dedicato allo studio delle preposizioni italiane.

Attraverso una serie di percorsi didattici moderni, funzionali e divertenti, il libro offre agli studenti l'opportunità di capire il senso e la ragione dell'uso delle singole preposizioni e la possibilità di esprimersi correttamente.

Per studenti di livello elementare, intermedio e avanzato.
Sono incluse le soluzioni.

www.almaedizioni.it